#국어성취도평가
#실전모의고사

HME
국어 학력평가

Chunjae
Maketh
Chunjae

▼

HME 국어 학력평가 1학년

편집개발 김동렬, 원명희, 김한나, 김주남, 박윤진, 정진솔, 안정아
디자인총괄 김희정
표지디자인 윤순미, 강태원, 김지현
내지디자인 박희춘, 이혜진, 배미현
제작 황성진, 조규영

발행일 2021년 8월 1일 초판 2021년 8월 1일 1쇄
발행인 (주)천재교육
주소 서울시 금천구 가산로9길 54
신고번호 제2001-000018호
고객센터 1577-0902
교재 구입문의 1588-5566

HME 국어 학력평가

HME 국어 학력평가는 초등 국정 교과서를 집필하시는 교수 분들을 중심으로

〈초등 국어 학력평가 문항 개발 연구 위원회〉가 평가 문항을 개발하고

천재교육에서 평가를 주관하는 종합 국어 능력 측정 시험입니다.

초등 국어 학력평가 문항 개발 연구 위원회

- **책임 연구원** 이경화(한국교원대 교수)
- **공동 연구원** 최규홍(진주교대 교수), 김상한(진주교대 교수), 김혜선, 최종윤, 박혜림
- **출제진** 초등국어교육 박사
  최종윤, 송민주, 신윤경, 천효정, 박혜림, 안부영, 이근영, 신선희, 김혜선, 하근회, 김지영, 최규홍, 김상한

  초등국어교육 박사 과정
  진솔, 김정은, 장동민, 김은지

  초등국어교육 석사
  김은선, 김미애, 이영신, 김문화
- **검토진** 교수
  이수진, 전제응, 이창근, 이경남, 최민영, 김태호

  초등국어교육 전공 박사 과정
  백희정, 배재훈

HME 국어 학력평가 안내

HME 국어 학력평가

국어 기초 능력 평가
국어 학습의 기반이 되는 기초 국어 능력을 측정합니다.

독해력 평가
국어 능력의 중요 요소인 독해력을 각 세부 영역별로 측정합니다.

교과 과정 성취도 평가
각 학년별 국어 교과 과정의 주요 성취 기준 도달도를 측정합니다.

전국 석차 제시
전체 수험자의 평가 값을 백분위화하여 자신의 국어 능력치를 객관적으로 확인할 수 있습니다.

통합사고력 평가
사고력, 창의력 문제 해결력의 척도를 측정합니다.

종합 국어 능력 수준 5단계 측정

성적	수준 구분	백분위
최우수	기대 성취도 이상의 국어 활용 능력을 보이며 통합 사고력 및 심화 독해력까지 매우 뛰어난 수준임.	1~10% 내외
우수	기대 성취도 이상의 국어 활용 능력을 보이며 통합 사고력 및 심화 독해력이 우수한 수준임.	11~20% 내외
보통	해당 학년의 기대 성취도에 부합하는 국어 구사 능력을 보임.	21~35% 내외
기초	해당 학년에 필수적인 국어 활용 능력을 갖추고 있으나 노력이 필요함.	36~50% 내외
노력	해당 학년에 필수적인 국어 활용 능력에 미달. 독해, 어휘, 문법 등 기초 국어 학습이 필요함.	51% 이하

※성적 측정 백분위는 학년별, 연도별로 기준치가 달라집니다.

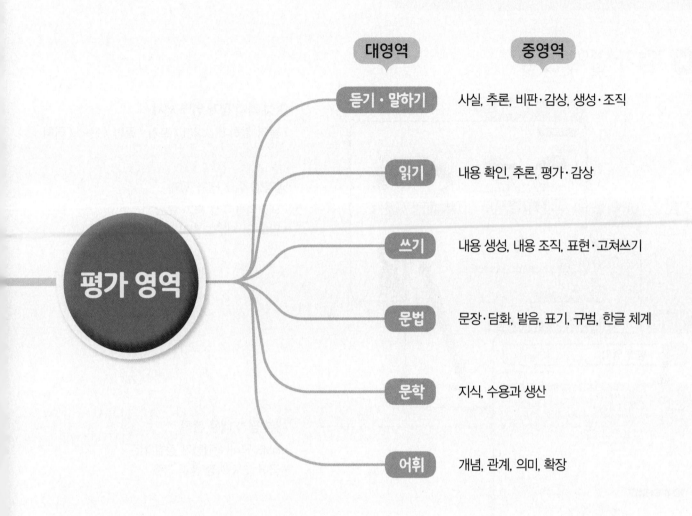

대영역	중영역
듣기·말하기	사실, 추론, 비판·감상, 생성·조직
읽기	내용 확인, 추론, 평가·감상
쓰기	내용 생성, 내용 조직, 표현·고쳐쓰기
문법	문장·담화, 발음, 표기, 규범, 한글 체계
문학	지식, 수용과 생산
어휘	개념, 관계, 의미, 확장

평가 영역

📖 종합 독해력 5단계 측정

HME 국어 학력평가에서 독해력 측정에 필요한 평가 요소를 세부 영역별로 분석하여 학생의 독해력 수준과 지도 방향을 제시합니다.

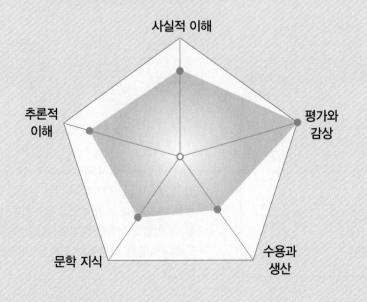

독해력 총점	45점 / 58점

독해의 유형을 다섯 가지 세부 영역으로 구분하여 나에게 익숙한 독서 방법과 보충해야 할 독해 방법을 안내합니다.

┌─ 지도 방향 예 ─
시의 표현 방식이나 시적 의미를 이해하는 데 익숙하지 않습니다. 시집을 직접 골라 읽어 보고 시를 읽는 재미를 느껴 보세요.

HME 국어 학력평가 교재 구성

◑ 평가 영역 분석

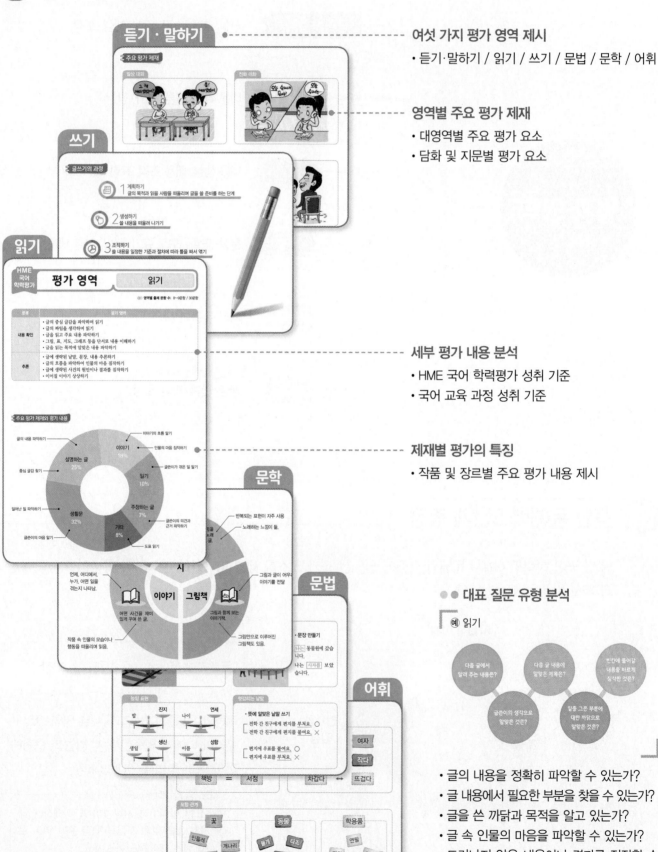

여섯 가지 평가 영역 제시
- 듣기·말하기 / 읽기 / 쓰기 / 문법 / 문학 / 어휘

영역별 주요 평가 제재
- 대영역별 주요 평가 요소
- 담화 및 지문별 평가 요소

세부 평가 내용 분석
- HME 국어 학력평가 성취 기준
- 국어 교육 과정 성취 기준

제재별 평가의 특징
- 작품 및 장르별 주요 평가 내용 제시

●● 대표 질문 유형 분석

예) 읽기

- 글의 내용을 정확히 파악할 수 있는가?
- 글 내용에서 필요한 부분을 찾을 수 있는가?
- 글을 쓴 까닭과 목적을 알고 있는가?
- 글 속 인물의 마음을 파악할 수 있는가?
- 드러나지 않은 내용이나 결과를 짐작할 수 있는가?

대표 유형 문제

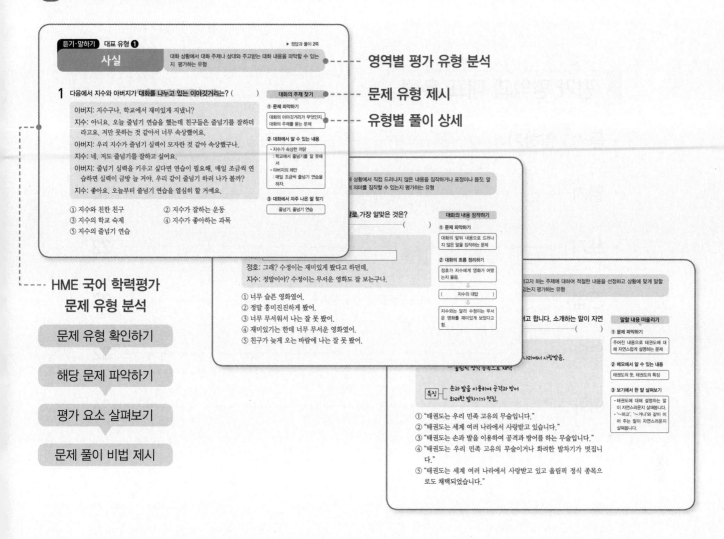

영역별 평가 유형 분석

문제 유형 제시

유형별 풀이 상세

HME 국어 학력평가
문제 유형 분석

문제 유형 확인하기

해당 문제 파악하기

평가 요소 살펴보기

문제 풀이 비법 제시

실전 모의고사 4회 제공

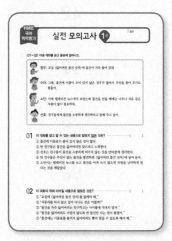

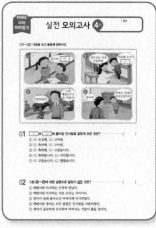

• 실제 HME 국어 학력평가와 같은 구성의 실전 모의고사
• 실제 HME 국어 학력평가와 유사한 난이도 구성

HME 국어 학력평가 차례

평가 영역과 대표 유형

- 듣기·말하기 ································· 8
- 읽기 ································· 14
- 쓰기 ································· 22
- 문법 ································· 27
- 문학 ································· 32
- 어휘 ································· 36

실전 모의고사

- 1회 ································· 42
- 2회 ································· 60
- 3회 ································· 78
- 4회 ································· 96

HME 국어 학력평가

평가 영역

+

대표 유형 문제

- 평가 영역별 출제 유형 분석
- 출제 유형별 문제 해결 과정 제시

평가 영역

듣기·말하기

영역별 출제 문항 수: 3~4문항 / 30문항

분류	평가 영역
사실	• 대화의 주제나 목적 파악하기 • 대화에서 중요한 내용 이해하기 • 대화에서 지시하는 대상 이해하기
추론	• 대화에서 이어질 내용 예측하기 • 표정, 몸짓, 말투의 의미 짐작하기 • 대화의 앞뒤 관계에서 직접 드러나지 않은 내용 파악하기
생성·조직	• 주제에 알맞은 내용 말하기 • 대상에 대해 바른 표현으로 말하기 • 경험했던 일을 일어난 순서가 드러나게 말하기

주요 평가 제재

일상 대화

전화 대화

발표하기

웃어른과의 대화

평가의 목적

듣기·말하기 평가 영역은 국어를 활용한 대화 상황에서 정확하게 정보를 얻고, 효과적으로 나의 생각을 전할 수 있는지 평가하기 위한 영역입니다.

대화는 듣기·말하기를 통해 상대와 정보, 감정, 의견 등을 함께 나누는 활동입니다. 글을 읽고 쓰는 것과는 달리 대화는 표정, 몸짓, 말투 등 비언어적 요소와 대화를 나누는 상황에 따라 그 의미와 해석이 달라지기도 합니다.

듣기·말하기 평가 영역에서는 이러한 대화의 특성을 이해하고 여러 가지 상황에서 효과적으로 국어를 구사할 수 있는지 평가하게 됩니다. 특히 1학년 듣기·말하기 에서는 **대화의 주제와 중요한 내용을 파악하고 대화 흐름에 맞게 말할 수 있는지**를 주로 평가합니다.

대표 질문 유형

두 사람이 대화를 나누는 이야깃거리는?

주고받은 대화의 내용으로 알맞은 것은?

빈칸에 들어갈 대답으로 알맞은 것은?

밑줄 그은 말에 어울리는 표정이나 목소리는?

다음 중 소개하는 말이 자연스러운 것은?

주요 평가 요소

대화의 목적과 주제를 알고 있는가?	상황에 적절한 말을 주고 받을 수 있는가?	자연스럽게 대화를 이어 갈 수 있는가?	상대의 상황과 처지를 이해하며 대화 할 수 있는가?	적절한 표정, 몸짓, 말투를 구사할 수 있는가?

▶ 정답과 풀이 2쪽

사실

대화 상황에서 대화 주제나 상대와 주고받는 대화 내용을 파악할 수 있는지 평가하는 유형

1 다음에서 지수와 아버지가 대화를 나누고 있는 이야깃거리는? (   )

> 아버지: 지수구나. 학교에서 재미있게 지냈니?
>
> 지수: 아니요. 오늘 줄넘기 연습을 했는데 친구들은 줄넘기를 잘하더라고요. 저만 못하는 것 같아서 너무 속상했어요.
>
> 아버지: 우리 지수가 줄넘기 실력이 모자란 것 같아 속상했구나.
>
> 지수: 네. 저도 줄넘기를 잘하고 싶어요.
>
> 아버지: 줄넘기 실력을 키우고 싶다면 연습이 필요해. 매일 조금씩 연습하면 실력이 금방 늘 거야. 우리 같이 줄넘기 하러 나가 볼까?
>
> 지수: 좋아요. 오늘부터 줄넘기 연습을 열심히 할 거예요.

① 지수와 친한 친구   ② 지수가 잘하는 운동
③ 지수의 학교 숙제   ④ 지수가 좋아하는 과목
⑤ 지수의 줄넘기 연습

대화의 주제 찾기

1 문제 파악하기

대화의 이야깃거리가 무엇인지, 대화의 주제를 묻는 문제

2 대화에서 알 수 있는 내용

• 지수가 속상한 까닭
  : 학교에서 줄넘기를 잘 못해서
• 아버지의 제안
  : 매일 조금씩 줄넘기 연습을 하자.

3 대화에서 자주 나온 말 찾기

줄넘기, 줄넘기 연습

---

2 문제 **1**의 대화에서 지수와 아버지가 주고받은 대화 내용으로 알맞은 것은? .... (   )
① 오늘 학교에서 줄넘기 시험이 있었다.
② 지수는 줄넘기를 못해서 속이 상했다.
③ 줄넘기를 잘하는 친구들이 지수를 놀렸다.
④ 아버지는 줄넘기를 못하는 지수를 혼냈다.
⑤ 지수와 아버지는 함께 줄넘기를 사러 갔다.

대화의 주요 내용 파악하기

1 지수가 한 말

"저만 못하는 것 같아서 너무 속상했어요."

2 아버지가 한 말

"매일 조금씩 연습하면 실력이 금방 늘 거야. 우리 같이 줄넘기 하러 나가 볼까?"

---

3 다음 대화에서 어머니가 동화에게 **알려 주고 있는 것은?** ·········(   )

대화의 중요한 내용 찾기

1 문제 파악하기

어머니가 동화에게 말하고자 하는 중요한 내용이 무엇인지 파악하는 문제

> 어머니: 동화야, 씻고 자야지.
>
> 동화: 오늘 늦게까지 놀았더니 너무 피곤해요. 그냥 자고 싶어요.
>
> 어머니: 피곤하고 힘들어도 씻고 자야 해. 그래야 병에 걸리지 않지.
>
> 동화: 안 씻으면 병에 걸려요?
>
> 어머니: 그렇고말고. 우리 눈에 보이지는 않지만 나쁜 병균들이 땀과 함께 우리 몸에 달라붙어 있단다. 동화 얼굴에도, 머리카락 사이에도, 손톱 밑에도……. 이런 병균들은 언제 동화 몸속으로 들어갈 수 있나 항상 기회를 노리고 있어요. 그러니까 비누칠을 해서 병균들을 깨끗하게 씻어 내야 한단다.
>
> 동화: 알겠어요. 귀찮아서 씻기 싫었는데 병균들한테 질 수는 없죠.

2 어머니가 알려 준 내용 알아 보기

• 씻고 자야 하는 까닭
우리 몸에 붙어 있는 병균을 깨끗이 씻어 내야 병에 걸리지 않는다.

① 동화가 피곤한 까닭
② 동화가 씻기 싫어하는 까닭
③ 몸을 깨끗이 씻어야 하는 까닭
④ 병균이 우리 몸을 노리는 까닭
⑤ 우리 몸이 피곤하고 힘든 까닭

3 문제 해결하기

어머니는 동화에게 왜 깨끗이 씻고 자야 하는지에 대해 말씀하셨습니다.

4 **문제 3 의 대화**를 통해 알 수 있는 사실로 **알맞지 않은 것은?**
·················(   )

대화의 주요 내용 파악하기

• 어머니가 동화에게 한 말
"비누칠을 해서 병균들을 깨끗하게 씻어 내야 한단다."

① 우리 몸 곳곳에는 병균이 숨어 있다.
② 비누에는 많은 병균이 달라붙어 있다.
③ 병균이 몸 안으로 들어가면 병에 걸린다.
④ 몸을 깨끗이 하지 않으면 병에 걸리기 쉽다.
⑤ 몸을 씻을 때는 비누칠을 해서 잘 씻어야 한다

추론

대화 상황에서 직접 드러나지 않은 내용을 짐작하거나 표정이나 몸짓, 말투의 의미를 짐작할 수 있는지 평가하는 유형

5 다음 대화에서 [ ] 에 들어갈 지수의 말로 가장 알맞은 것은? ···················( )

> 정호: 어제 본 영화 어땠어?
>
> 지수: [   ]
>
> 정호: 그래? 수정이는 재미있게 봤다고 하던데.
>
> 지수: 정말이야? 수정이는 무서운 영화도 잘 보는구나.

① 너무 슬픈 영화였어.
② 정말 흥미진진하게 봤어.
③ 너무 무서워서 나는 잘 못 봤어.
④ 재미있기는 한데 너무 무서운 영화였어.
⑤ 친구가 늦게 오는 바람에 나는 잘 못 봤어.

대화의 내용 짐작하기

1 문제 파악하기

대화의 앞뒤 내용으로 드러나지 않은 말을 짐작하는 문제

2 대화의 흐름 정리하기

정호가 지수에게 영화가 어땠는지 물음.
⇩
(지수의 대답)
⇩
지수와는 달리 수정이는 무서운 영화를 재미있게 보았다고 함.

6 다음 통화에서 ㉠에 어울리는 호영이의 **표정이나 목소리는?** ····( )

> 호영: 여보세요?
>
> 할머니: 호영이구나. 오늘 할머니 너희 집에 가는데 네가 좋아하는 파인애플 사 갈까?
>
> 호영: 와! ㉠정말요?

① 궁금한 표정을 지으며 낮은 목소리로
② 의심스러운 표정을 지으며 작은 목소리로
③ 밝은 표정을 지으며 속삭이는 듯한 목소리로
④ 밝은 표정을 지으며 크게 소리치는 목소리로
⑤ 찡그린 표정을 지으며 크게 소리치는 목소리로

대화 상대의 표정 짐작하기

● 할머니께서 호영이가 좋아하는 파인애플을 사 가겠다고 했을 때 호영이의 마음에 어울리는 표정과 목소리를 떠올려 봅니다.

● 대화를 할 때에는 표정, 목소리, 말투에 따라 전하고자 하는 말의 뜻이 달라지기도 합니다.

생성·조직

말하고자 하는 주제에 대하여 적절한 내용을 선정하고 상황에 맞게 말할 수 있는지 평가하는 유형

7 다음 메모를 보고 '태권도'에 대해 소개하려고 합니다. 소개하는 말이 자연스럽지 <u>않은</u> 것은? ·························· (　　)

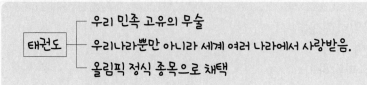

태권도 ─┬─ 우리 민족 고유의 무술
　　　　├─ 우리나라뿐만 아니라 세계 여러 나라에서 사랑받음.
　　　　└─ 올림픽 정식 종목으로 채택

특징 ─┬─ 손과 발을 이용하여 공격과 방어
　　　 └─ 화려한 발차기가 멋짐.

① "태권도는 우리 민족 고유의 무술입니다."
② "태권도는 세계 여러 나라에서 사랑받고 있습니다."
③ "태권도는 손과 발을 이용하여 공격과 방어를 하는 무술입니다."
④ "태권도는 우리 민족 고유의 무술이거나 화려한 발차기가 멋집니다."
⑤ "태권도는 세계 여러 나라에서 사랑받고 있고 올림픽 정식 종목으로도 채택되었습니다."

말할 내용 떠올리기

1 문제 파악하기

주어진 내용으로 태권도에 대해 자연스럽게 설명하는 문제

2 메모에서 알 수 있는 내용

태권도의 뜻, 태권도의 특징

3 보기에서 한 말 살펴보기

· 태권도에 대해 설명하는 말이 자연스러운지 살펴봅니다.
· '~하고', '~거나'와 같이 이어 주는 말이 자연스러운지 살펴봅니다.

---

8 다음 표를 보고 윷놀이의 '모'에 대해 바르게 말한 것은? ·········· (　　)

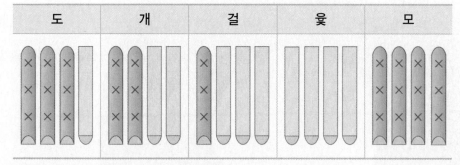

도	개	걸	윷	모

① "네 개의 막대가 모두 엎어진 것을 모라고 합니다."
② "네 개의 막대가 모두 젖혀진 것을 모라고 합니다."
③ "네 개의 막대 중 하나만 엎어진 것을 모라고 합니다."
④ "네 개의 막대 중 하나만 젖혀진 것을 모라고 합니다."
⑤ "네 개의 막대가 모두 엎어지거나 젖혀진 것을 모라고 합니다."

자료를 보고 알맞게 말하기

· 젖혀지다: 안쪽이 겉으로 나오게 되다.
· 엎어지다: 안쪽을 바닥에 대고 넘어지다.

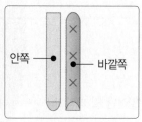

안쪽　　　바깥쪽

▲ 윷의 안쪽과 바깥쪽

평가 영역

읽기

● 영역별 출제 문항 수: 8~9문항 / 30문항

분류	평가 영역
내용 확인	• 글의 중심 글감을 파악하며 읽기 • 글의 짜임을 생각하며 읽기 • 글을 읽고 주요 내용 파악하기 • 그림, 표, 지도, 그래프 등을 단서로 내용 이해하기 • 글을 읽는 목적에 알맞은 내용 파악하기
추론	• 글에 생략된 낱말, 문장, 내용 추론하기 • 글의 흐름을 파악하여 인물의 마음 짐작하기 • 글에 생략된 사건의 원인이나 결과를 짐작하기 • 이어질 이야기 상상하기

주요 평가 제재와 평가 내용

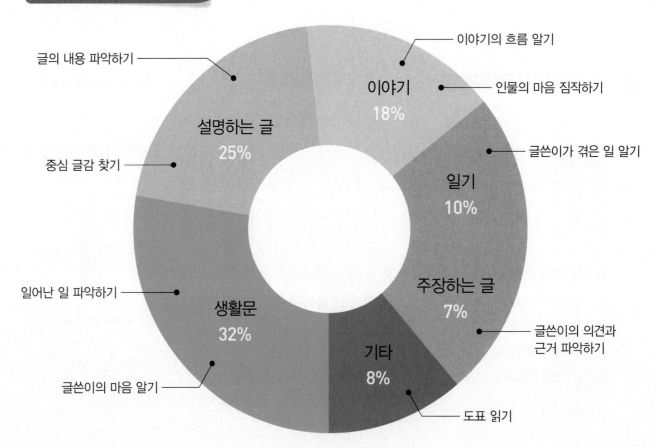

- 글의 내용 파악하기 — 설명하는 글 25%
- 중심 글감 찾기
- 이야기의 흐름 알기 — 이야기 18%
- 인물의 마음 짐작하기
- 글쓴이가 겪은 일 알기 — 일기 10%
- 일어난 일 파악하기 — 생활문 32%
- 글쓴이의 마음 알기
- 주장하는 글 7% — 글쓴이의 의견과 근거 파악하기
- 기타 8% — 도표 읽기

평가의 목적

읽기 영역의 문항은 제시된 글을 읽고 글의 내용을 정확히 파악할 수 있는지를 평가하기 위해 출제됩니다.
'읽기'는 글로 표현된 정보와 생각을 나의 경험과 지식을 바탕으로 이해하고 이를 다시 나의 경험과 지식으로 되쌓는 활동입니다. 글의 종류나 글을 읽는 목적에 따라 다양한 읽기 방법이 있고 거기서 쌓게 되는 지식의 종류도 다양합니다.

초등 1학년 읽기 영역에서는 내용을 정확히 파악하고 글의 전체적인 의미를 이해할 수 있는지를 중심으로 평가합니다. 그래서 **제시된 글을 읽고 글의 내용과 보기를 비교하는 문제가 자주 출제**됩니다. 문제를 풀면서 글을 읽을 때 중요한 부분은 무엇인지, 알고 싶은 내용이 어느 부분에 있는지 확인하면서 읽는 것이 좋습니다.

대표 질문 유형

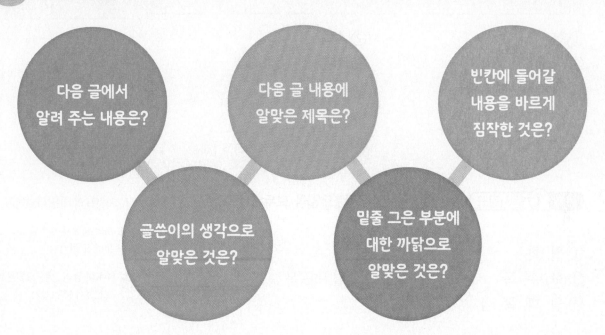

다음 글에서 알려 주는 내용은?

글쓴이의 생각으로 알맞은 것은?

다음 글 내용에 알맞은 제목은?

밑줄 그은 부분에 대한 까닭으로 알맞은 것은?

빈칸에 들어갈 내용을 바르게 짐작한 것은?

주요 평가 요소

| 글의 내용을 정확히 파악하며 읽을 수 있는가? | 글 내용에서 필요한 부분을 찾을 수 있는가? | 글을 쓴 까닭과 목적을 알고 있는가? | 글 속 인물의 마음을 파악할 수 있는가? | 드러나지 않은 내용이나 결과를 짐작할 수 있는가? |

내용 확인

자료나 글을 읽고 중심 글감이나 주요 내용을 정확히 파악할 수 있는지 평가하는 유형

1 다음 시간표에서 **목요일 3교시에 배우는 과목은?** ·············(　　)

	월	화	수	목	금
1교시	국어	국어	국어	안전한 생활	수학
2교시	수학	수학	국어	수학	국어
3교시	동아리	봄	여름	창의적 체험활동	창의적 체험활동
4교시	동아리	봄	여름	국어	여름
5교시				여름	여름

① 봄　　　　　　　　② 수학
③ 국어　　　　　　　④ 여름
⑤ 창의적 체험활동

시간표 읽기

1 문제 파악하기

제시된 시간표에서 목요일 3교시에 해당하는 과목을 알아보는 문제

2 시간표 읽기

시간표의 세로선은 요일을, 가로선은 교시를 나타냅니다.

	-	-	-	목	-
-				↓(요일)	
-					
3교시 →			→		
-				(교시)	
-					

2 문제 **1** 의 시간표 에서 **수학을 공부하는 요일을 모두 고른 것은?**

·············(　　)

① 월, 화　　　　　　② 화, 목
③ 화, 수, 목　　　　④ 월, 화, 목
⑤ 월, 화, 목, 금

시간표의 내용 파악하기

1 과목 중에서 수학을 찾아 모두 ○표 하기

2 수학이 들어 있는 요일을 세로선에서 모두 찾기

3 문제 **1** 의 시간표 에서 **일주일 동안 5교시까지 수업하는 날을 모두 고른 것은?** ·············(　　)

① 수요일, 목요일　　② 목요일, 금요일　　③ 월요일, 금요일
④ 화요일, 목요일　　④ 화요일, 수요일

시간표의 가로선 읽기

● 시간표의 가로선 중 5교시에 해당하는 칸을 가로로 이으면 '여름' 과목을 찾을 수 있습니다.

4 다음 글에서 **알려 주는 내용**을 | 보기 |에서 모두 고른 것은? ……(   )

알려 주는 내용 찾기

1 문제 파악하기

글에서 알려 주는 주요 내용을 묻는 문제

> 딱지치기는 다른 사람의 딱지를 따는 놀이입니다. 딱지치기를 부르는 이름은 여러 가지입니다. 딱지치기는 지역에 따라 '때기치기', '땅지치기' 또는 '표치기'라고도 합니다.
>
> 딱지치기 방법에는 크게 '뒤집기'와 '쳐 내기'가 있습니다. 뒤집기로 딱지를 따내려면 자기 딱지로 상대의 딱지를 쳐서 뒤집어야 합니다. 쳐 내기를 할 때에는 원 안에 있는 상대의 딱지를 원 밖으로 쳐 내서 따먹습니다.

2 글의 내용 파악하기

– 딱지치기의 뜻
– 딱지치기의 여러 가지 이름
– 딱지치기 방법

3 | 보기 |를 글 내용과 비교하기

글에서 찾을 수 있는 내용인지 찾을 수 없는 내용인지 비교해 봅니다.

┤ 보기 ├

㉠ 딱지치기를 하는 시기   ㉡ 딱지치기를 하는 지역
㉢ 딱지치기의 놀이 방법   ㉣ 딱지치기의 다른 이름
㉤ 딱지치기를 하게 된 까닭   ㉥ 딱지치기와 비슷한 놀이 종류

① ㉠, ㉡   ② ㉡, ㉢
③ ㉢, ㉣   ④ ㉣, ㉤
⑤ ㉤, ㉥

---

5 문제 **4** 의 글 내용으로 알맞은 것을 | 보기 |에서 모두 고른 것은?

………………………………………………………… (   )

글의 내용 파악하기

1 | 보기 |의 내용과 딱지치기에 대한 설명이 알맞은지 비교합니다.

2 특히 딱지치기를 하는 방법이 글의 내용에 알맞은지 비교합니다.

┤ 보기 ├

㉠ 딱지치기 방법에는 크게 세 가지가 있다.
㉡ 딱지치기는 지역에 따라 다른 이름으로 부른다.
㉢ 딱지치기는 다른 사람과 딱지를 맞바꾸는 놀이이다.
㉣ 쳐 내기를 할 때는 원 밖으로 자기 딱지를 빨리 빼내어야 한다.
㉤ 뒤집기를 할 때는 자기 딱지로 상대의 딱지를 쳐서 뒤집어야 한다.

① ㉠, ㉡   ② ㉢, ㉤
③ ㉢, ㉣   ④ ㉡, ㉤
⑤ ㉣, ㉤

6 다음 글의 내용을 가장 잘 드러내어 주는 제목은? .... (   )

글의 알맞은 제목 찾기

1 문제 파악하기

무엇을 알려 주기 위한 글인지 생각하여 이를 잘 드러내는 제목을 찾는 문제

　　우리나라 고유의 형식으로 지은 집을 한옥이라고 합니다. 한옥은 주로 나무와 흙을 이용하여 벽을 쌓고 지붕에는 기와를 얹었습니다. 흙을 발라 쌓은 벽은 더운 기운과 차가운 기운을 잘 막아 줍니다. 그래서 한옥은 여름이면 시원하고 겨울이면 따뜻합니다.

　　한옥의 방문에는 한지를 발랐습니다. 한지는 얇아 보이지만 생각보다 질기고 튼튼한 종이입니다. 한지로 바른 문은 햇빛을 은은하게 만들어 주는 효과가 있습니다. 게다가 습도를 조절하는 기능도 있어서 방 안의 공기를 쾌적하게 만들어 줍니다.

　　한옥의 가장 큰 장점 중에 하나로 온돌이 있습니다. 온돌은 우리나라 고유의 난방 장치라고 할 수 있습니다. 아궁이에 불을 때면 더운 열기가 방 아래의 빈 공간을 지나 굴뚝으로 빠져나갑니다. 더운 열기가 방 아래를 돌고 지나면서 집 안을 따뜻하게 해 주는 원리입니다.

2 글의 주요 내용

① 한옥의 뜻
② 한옥에 쓰이는 재료
③ 한옥의 좋은 점
④ 온돌의 원리

3 헷갈리는 보기 추려 내기

한옥을 짓는 방법을 알려 주는 글이면 한옥을 짓는 차례가 순서대로 나와야 합니다.

① 한옥의 자랑거리
② 한옥을 짓는 방법
③ 여러 가지 집의 종류
④ 조상의 지혜가 담긴 온돌
⑤ 추위와 더위를 막아 주는 한지

7 문제 **6**의 글을 읽고 한옥이 여름철에 시원한 까닭에 대해 바르게 말한 것은? .... (   )

① 기둥으로 나무를 사용하기 때문이다.
② 지붕에 기와를 얹어 집을 짓기 때문이다.
③ 온돌을 사용해서 난방을 할 수 있기 때문이다.
④ 한지로 바른 문이 생각보다 튼튼하기 때문이다.
⑤ 흙을 발라 쌓은 벽이 더운 기운을 막아 주기 때문이다.

자세한 내용 파악하기

1 글의 내용 중 문제와 관련된 부분 찾기

한옥은 여름이면 시원하고 겨울이면 따뜻합니다.

2 앞뒤 내용에서 문제의 정답 찾기

흙을 발라 쌓은 벽은 더운 기운과 차가운 기운을 잘 막아 줍니다.

8 다음 글에서 **글쓴이의 생각**으로 알맞은 것은? ·············· (   )

글쓴이의 생각 찾기

1 문제 파악하기

글을 통해 전하고자 하는 글쓴이의 생각은 무엇인지 파악하는 문제

> 학교 수업을 마치고 집으로 돌아오던 길이었습니다. 이웃집 형이 동전을 떨어뜨리고 지나갔습니다. 나는 얼른 달려가 동전을 주웠습니다. 십 원짜리 동전이었습니다.
>
> 나는 형에게 동전을 가져다주었습니다. 형은 웃으면서 말하였습니다.
>
> "나도 떨어진 거 알고 있어."
>
> 형은 그냥 가 버렸습니다. 나는 참 이상하였습니다.
>
> '왜 십 원짜리 동전을 소중하게 여기지 않을까?'
>
> 버려진 십 원짜리 동전을 다 모은다면 얼마나 많은 돈이 될까요? 그 형이 잃어버린 것은 십 원짜리 동전이 아니라 작은 것을 소중히 여기는 마음이라는 생각이 들었습니다.
>
> 우리 모두, 작은 것이라도 소중하게 생각하는 마음을 가졌으면 좋겠습니다.

2 일어난 일 알아보기

이웃집 형이 동전을 떨어뜨렸지만 형은 십 원짜리 동전이라 신경 쓰지 않고 그냥 가 버림.

3 글쓴이의 생각이 잘 드러난 부분 찾기

우리 모두, 작은 것이라도 소중하게 생각하는 마음을 가졌으면 좋겠습니다.

① 인사를 잘하자.

② 쓰레기를 버리지 말자.

③ 친구를 소중히 여기자.

④ 이웃과 사이좋게 지내자.

⑤ 작은 것도 소중히 여기자.

9 문제 **8** 의 글 에서 글쓴이가 그렇게 생각한 까닭과 관련이 있는 속담으로 알맞은 것은? ·············· (   )

① 티끌 모아 태산

② 업은 아이 삼 년 찾는다

③ 아니 땐 굴뚝에 연기 날까

④ 가는 말이 고와야 오는 말이 곱다

⑤ 콩 심은 데 콩 나고 팥 심은 데 팥 난다

주제와 관련된 속담 찾기

● 속담: 예로부터 전해 내려오는, 삶에 도움이 되거나 교훈을 주는 말.

예 발 없는 말이 천 리 간다.
→ 말은 비록 발이 없지만 천 리 밖까지도 순식간에 퍼진다는 뜻으로, 말을 조심해야 한다는 의미.

추론

글을 읽고 글에 생략된 낱말, 문장, 내용 등을 짐작하거나 원인과 결과에 알맞은 내용을 추론할 수 있는지 평가하는 유형

10 다음 글의 ⊙ 에 들어갈 내용으로 가장 알맞은 것은? ·········· (　　　)

| 20○○년 11월 14일 월요일 | 날씨: 흐림 |

　　오늘 학교에서 딱지치기에 관한 글을 읽었다. 지난 추석 때 가족들과 딱지치기를 했던 경험이 떠올랐다. 나는 옛날 어린이들은 어떤 놀이를 했는지 궁금해서 아버지께 여쭈어 보았다. ⊙
아버지께서는 특히 연날리기와 제기차기를 많이 하였다고 하셨다. 이번 주말에 가족들끼리 연날리기, 윷놀이, 제기차기, 투호 같은 ⓒ민속놀이를 해 보기로 했다. 주말이 빨리 왔으면 좋겠다.

① 추석 때 친척들이 모여서 비사치기를 한 적이 있다.
② 아버지께서는 어릴 때 엿을 무척 좋아하셨다고 한다.
③ 아버지께서는 옛날 놀이는 요즘 하지 않는다고 말씀하셨다.
④ 아버지께서는 어릴 때 자주 하셨던 민속놀이를 알려 주셨다.
⑤ 아버지와 지난주에 공원에서 연날리기를 했던 기억이 떠올랐다.

생략된 내용 짐작하기

1 문제 파악하기

글의 흐름을 볼 때 생략된 내용이 무엇인지 묻는 문제

2 글의 흐름 파악하기

옛날 어린이들이 어떤 놀이를 했을지 궁금해서 아버지께 여쭤 봄.
⇩
?
⇩
아버지께서는 특히 연날리기와 제기차기를 많이 하셨다고 말씀하심.

3 ⊙에 들어갈 내용 짐작하기

연날리기와 제기차기를 특히 많이 하셨다는 내용과 자연스럽게 이어져야 합니다.

11 문제 **10**의 글 내용으로 보아 ⓒ '민속놀이'에 대해 바르게 짐작한 것은? ·········· (　　　)

① 공을 이용한 놀이이다.
② 어른들이 하는 놀이이다.
③ 옛날부터 전해 내려오는 놀이이다.
④ 옛날에 양반이 즐겨 하던 놀이이다.
⑤ 민속촌에 가야 할 수 있는 놀이이다.

글에서 낱말의 뜻 짐작하기

● 단서 살펴보기
: 연날리기, 윷놀이, 제기차기, 투호는 모두 민속놀이에 포함됩니다.

민속놀이

연날리기　윷놀이
제기차기　투호

12 다음 글의 내용으로 보아 (다) 에 들어갈 내용으로 가장 알맞은 것은?

( )

사건의 흐름 짐작하기

① 일어난 일의 흐름 파악하기

친구들이 '나'를 빼고 축구를 함.

⇩

화가 난 '나'는 축구공을 멀리 차 버림.

⇩

친구들이 '내'가 놀이를 방해했다고 선생님께 일러바침.

⇩

선생님께서 모두에게 잘못이 있다고 말씀하심.

⇩

?

⇩

점심시간이 되자 모두 다 함께 축구를 함.

(개) 오늘 중간 놀이 시간에 친구들이 축구를 하고 있었다. 나는 친구들에게 같이 하자고 말하였다. 그런데 민호와 재민이가

"안 돼! 넌 혼자서만 공을 차고, 다른 친구들에게 공을 주지 않잖아."

라고 말했다. 나만 빼고 축구를 하는 친구들이 괘씸하고 속상했다. 나는 축구공을 멀리 뻥 차 버렸다. 그러자 민호와 재민이는 곧장 선생님께 달려가 내가 축구를 하는 데 훼방을 놓았다고 일러바쳤다.

(내) 선생님께서는 나와 친구들을 모두 부르셨다. 나는 선생님께 왜 축구공을 뻥 차 버렸는지 말씀드렸다. 선생님께서는

"어느 친구를 따돌리고 노는 것도, 화가 나서 그 친구들 놀이를 방해하는 것도 모두 잘못 같구나. 어떻게 하면 좋을까?"

라고 말씀하셨다.

(다)

(라) 점심시간에 우리는 모두 다 함께 축구를 했다. 친구들과 공을 주고받으며 축구를 하니 훨씬 재미있었다. 함께 웃으며 공놀이를 해서 그런지 힘껏 공을 쫓아다녀도 하나도 힘들지 않았다.

① 선생님께서 '나'만 혼내서 서운한 마음이 들었다.
② '나'는 축구공을 빼앗길까 봐 마음이 조마조마하였다.
③ '나'는 친구들과 재미있게 축구를 하고 집으로 돌아왔다.
④ '나'와 친구들은 서로 잘못한 점을 이야기하고 사과했다.
⑤ '나'는 더 이상 친구들과 축구를 하지 않겠다고 다짐했다.

② (다)의 사건 짐작하기

점심시간에 다 함께 웃으며 축구를 하는 상황과 어울리는 사건인지 생각해 봅니다.

13 (문제 12의 글) (라)에서 짐작할 수 있는 '나'의 기분을 가장 알맞게 표현한 말은?

( )

① 발이 무거워진 느낌이 들었다.
② 어두운 밤길을 걷는 것 같았다.
③ 무언가가 목구멍에 걸려 있는 것 같았다.
④ 마음에 있던 먹구름이 사라지는 것 같았다.
⑤ 따끔한 바늘로 가슴을 콕콕 찌르는 것 같았다.

인물의 마음 짐작하기

● 친구들과 함께 재미있게 축구를 하게 된 나의 마음이 어떠할지 짐작해 봅니다.

평가 영역 　　　　　　쓰기

영역별 출제 문항 수: 3~4문항 / 30문항

분류	평가 영역
내용 생성	• 제재나 내용에 알맞은 낱말이나 문장 떠올리기 • 글을 쓰는 목적에 맞게 내용 떠올리기 • 자료를 수집하고 분석하여 쓸 내용 만들기
내용 조직	• 글의 전개 방법에 맞게 글 구성하기 • 글의 목적이나 주제에 관련된 내용을 조직하기 • 문장이나 문단의 내용이나 순서가 관계있도록 조직하기
표현 · 고쳐쓰기	• 글의 목적, 주제, 읽을 사람 등에 맞게 글 쓰기 • 글을 효과적으로 전달할 수 있는 표현 방법 사용하기 • 문장 부호, 띄어쓰기, 문장 호응을 알맞게 고치기 • 글자나 낱말을 알맞게 고쳐 쓰기

글쓰기의 과정

1 계획하기
글의 목적과 읽을 사람을 떠올리며 글을 쓸 준비를 하는 단계

2 생성하기
쓸 내용을 떠올려 나가기

3 조직하기
쓸 내용을 일정한 기준과 절차에 따라 틀을 짜서 엮기

4 표현하기
읽을 사람이 이해하기 쉽게 쓰기

5 고쳐쓰기
글, 문단, 문장, 낱말 수준에서 고쳐쓰기

쓰기 평가 영역은 한 편의 글을 쓰기 위한 과정을 이해하고 의도에 맞게 글을 쓰는 능력을 갖추고 있는지 평가하기 위한 영역입니다.

글쓰기는 글을 쓰는 목적에 따라 내용을 선정하고, 짜임에 따라 쓸 내용을 체계화하고, 국어 지식과 적절한 어휘를 사용하여 표현하고, 처음 계획에 맞게 써졌는지 다시 확인하는 단계를 거칩니다.

쓰기 평가 영역에서는 이러한 글쓰기 과정을 충분히 이해하고 있는지, 적절한 표현 능력을 갖추었는지를 평가하게 됩니다. 특히 초등 1학년 쓰기 영역에서는 **글쓰기 계획에 따라 쓸 내용을 떠올리고 이를 순서에 맞게 짤 수 있는지를** 주로 평가합니다.

🔧 대표 질문 유형

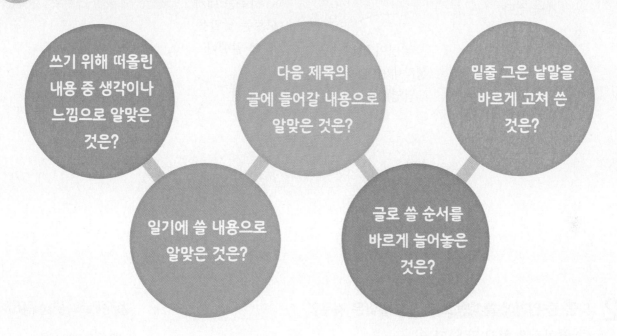

쓰기 위해 떠올린 내용 중 생각이나 느낌으로 알맞은 것은?

다음 제목의 글에 들어갈 내용으로 알맞은 것은?

밑줄 그은 낱말을 바르게 고쳐 쓴 것은?

일기에 쓸 내용으로 알맞은 것은?

글로 쓸 순서를 바르게 늘어놓은 것은?

🔧 주요 평가 요소

글에 들어갈 내용을 떠올릴 수 있는가?	쓸 내용의 차례를 알맞게 정할 수 있는가?	있었던 일과 그 일에 대한 생각이나 느낌을 표현할 수 있는가?	글의 내용에 알맞게 문장을 표현할 수 있는가?	글자나 낱말이 틀린 부분을 찾아 고쳐 쓸 수 있는가?

내용 생성

글로 쓸 내용을 떠올리는 방법을 알고 쓸 내용을 알맞게 짤 수 있는지 평가하는 유형

▶ 정답과 풀이 5쪽

1 다음 일기를 쓰기 위해 떠올린 내용 중 생각이나 느낌으로 알맞은 것은? .... (   )

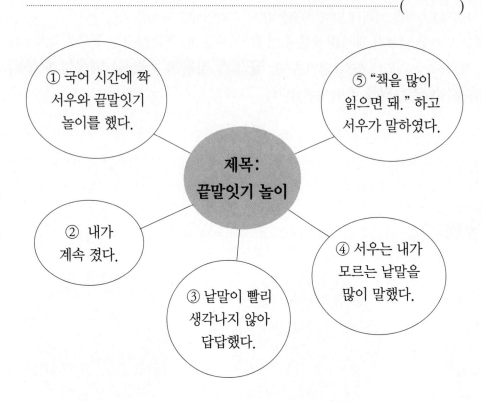

① 국어 시간에 짝 서우와 끝말잇기 놀이를 했다.

⑤ "책을 많이 읽으면 돼." 하고 서우가 말하였다.

제목: 끝말잇기 놀이

② 내가 계속 졌다.

④ 서우는 내가 모르는 낱말을 많이 말했다.

③ 낱말이 빨리 생각나지 않아 답답했다.

일기에 쓸 내용 구분하기

1 문제 파악하기

있었던 일과 생각이나 느낌을 나누는 문제

2 떠올린 내용 살펴보기

· 한 일
· 보거나 들은 일
· 생각이나 느낌

3 생각이나 느낌 찾기

'기뻤다', '속상했다'와 같이 마음을 나타내는 말과 같은 표현을 찾아봅니다.

2 다음 중 일기에 쓸 내용으로 가장 알맞은 것은? .... (   )

① 양치질을 하고 잠을 잔 일
② 점심시간에 급식을 먹은 일
③ 학교에서 집에 돌아와 숙제를 한 일
④ 아침에 일어나 밥을 먹고 학교에 간 일
⑤ 국어 시간에 내가 좋아하는 시를 발표한 일

글의 종류에 따라 쓸 내용 떠올리기

● 일기에 쓸 만한 내용

· 하루 중에 있었던 일 중에서 기억에 남는 내용
· 겪은 일 중에서 인상 깊었던 내용

내용 조직

글을 쓰는 목적이나 주제를 잘 드러낼 수 있도록 글에 쓸 내용을 체계적으로 짤 수 있는지 평가하는 유형

3 다음은 수아가 식목일을 맞이하여 **글을 쓰려고 만든 표입니다.** 빈칸에 들어갈 내용으로 알맞은 것은? ·· (　　　)

글의 제목	나무를 심고 가꾸어요
글의 주제	나무가 우리에게 주는 도움을 알고 나무를 심고 가꾸기 위해 노력하자.
글의 내용 – 나무가 우리에게 주는 도움	공기를 맑게 해 준다.
	나무로 여러 가지 물건을 만들 수 있다.

① 나무로 만든 제품을 쓰면 좋다.
②『아낌없이 주는 나무』라는 책을 읽었다.
③ 가족과 함께 숲에 갔을 때 기분이 좋았다.
④ 비가 많이 올 때 홍수가 나지 않게 해 준다.
⑤ 학교에서 열리는 나무 심기 행사에 많이 참여합시다.

글에 들어갈 내용 짜기

1 문제 파악하기

글의 짜임에 맞게 글로 쓸 내용을 떠올리는 문제

2 글의 주제 살펴보기

- 나무가 우리에게 주는 도움을 알자
- 나무를 심고 가꾸기 위해 노력하자.

3 빈칸에 들어갈 내용 떠올리기

'나무가 우리에게 주는 도움'에 대해 쓰려고 하므로 제시된 내용 외에 나무가 우리에게 어떤 도움을 줄 수 있을지 생각해 봅니다.

---

4 글로 쓸 내용을 다음과 같이 정리하였습니다. **글로 쓸 순서를 바르게 늘어놓은 것은?** ·································· (　　　)

㉠	버리는 음식이 생겨서 음식물 쓰레기가 늘어난다.
㉡	자신이 좋아하는 음식만 가려 먹는 친구들이 많다.
㉢	앞으로는 친구들이 음식을 가리지 않고 골고루 먹었으면 좋겠다.
㉣	음식을 가려서 먹으면 영양을 골고루 섭취하지 못해서 몸이 약해진다.

① ㉠ → ㉡ → ㉢ → ㉣
② ㉡ → ㉠ → ㉢ → ㉣
③ ㉢ → ㉠ → ㉣ → ㉡
④ ㉡ → ㉣ → ㉠ → ㉢
⑤ ㉡ → ㉣ → ㉢ → ㉠

쓸 내용의 순서 짜기

1 문제 파악하기

글의 주제나 종류에 따라 쓸 내용의 순서를 차례대로 조직하는 문제

2 ㉠~㉣의 내용 살펴보기

㉠	편식(음식을 가려서 먹는 것)의 문제점
㉡	친구들의 문제 상황
㉢	편식에 대한 의견
㉣	편식의 문제점

3 의견이 드러나는 글의 짜임 생각하기

처음: 문제 상황 제시
↓
가운데: 의견과 까닭
↓
끝: 의견에 대한 정리나 강조

표현 · 고쳐쓰기

글의 내용에 맞게 들어갈 문장을 고르고 틀린 글자나 낱말을 바르게 고칠 수 있는지 평가하는 유형

5 필통의 생김새를 설명하기 위해 ㉠에 들어갈 문장으로 알맞지 **않은** 것은?
.... (　　)

> ### 주인을 찾습니다
>
> 　필통의 주인을 찾습니다. 이 필통은 지난주 월요일에 우리 반 교실 사물함 주변에 떨어져 있었습니다. 필통은 (　　㉠　　).
> 　필통에는 연필 두 자루와 지우개 한 개가 들어 있었습니다. 필통은 선생님께 맡겨 두었습니다. 필통을 ㉡이러버린 친구는 선생님께 가서 찾아가기 바랍니다.

① 파란색입니다
② 네모 모양입니다
③ 공부를 할 때 꼭 필요합니다
④ 앞면에 곰돌이 그림이 있습니다
⑤ 뒷면에 별 스티커가 붙어 있습니다

글 흐름에 맞게 표현하기

1 문제 파악하기
글을 쓰는 목적에 알맞은 내용을 적절한 문장으로 표현하는 문제

2 글의 내용 파악하기
글을 쓰는 목적: 필통의 주인을 찾기 위해서
글의 내용: 필통을 발견한 곳, 필통에 들어 있었던 물건 등에 대해 알려 줌.

3 ㉠에 들어갈 내용 생각하기
필통의 모양, 색, 크기와 같은 특징을 자세히 써서 글만 보고도 필통의 특징을 알 수 있게 하는 것이 좋습니다.

6 문제 **5**의 글 에서 ㉡을 바르게 고쳐 쓴 것은? .... (　　)
① 일어버린
② 일러버린
③ 잃어버린
④ 잊어버린
⑤ 읽어버린

낱말을 바르게 고쳐 쓰기

1 문장을 보고 낱말의 뜻을 떠올리기
2 모음자나 받침이 바르게 쓰였는지 파악하기
3 뜻에 알맞은 낱말을 맞춤법에 맞게 쓰기

평가 영역 — 문법

●● **영역별 출제 문항 수:** 4~6문항 / 30문항

분류	평가 영역
문장 · 담화	• 알맞은 문장 성분을 넣어 문장 만들기 • 꾸며 주는 말을 넣어 문장 만들기 • 띄어 쓰는 규칙을 알고 바르게 띄어 쓰기
발음, 표기, 규범 (맞춤법, 높임법)	• 받침 바르게 쓰기 • 소리와 표기가 다른 낱말 알맞게 사용하기 • 낱말의 기본형 알기 • 알맞은 높임 표현 알기 • 알맞은 문장 부호 사용하기

주요 평가 문법

맞춤법

• 바르게 쓰기

친구와 노라요. ✕
친구와 놀아요. ○

문장 만들기

• 문장 만들기

나는 동물원에 갔습니다.
나는 사자를 보았습니다.

높임 표현

| 밥 | 진지 | 나이 | 연세 |
| 생일 | 생신 | 이름 | 성함 |

헷갈리는 낱말

• 뜻에 알맞은 낱말 쓰기

전학 간 친구에게 편지를 부쳐요. ○
전학 간 친구에게 편지를 붙여요. ✕

편지에 우표를 붙여요. ○
편지에 우표를 부쳐요. ✕

평가의 목적

문법 평가 영역은 국어 문법에 대한 기초 지식과 활용 능력을 평가하기 위한 영역입니다.

언어는 같은 언어를 사용하는 사람들 사이에서 일정한 규칙에 따라 만들어지고 쓰이게 되는데, 이러한 말의 규칙이 '문법'입니다. 국어 역시 발음(소리 내어 읽기), 표기(맞춤법), 구성(낱말이나 문장의 짜임) 등 국어 나름의 문법을 가지고 있습니다.

문법 영역에서는 학년 수준에 맞는 국어 문법 지식을 가지고 있는지, 또 이를 국어 생활에 적절히 활용할 수 있는지 평가하게 됩니다. 우리말의 기초 지식을 배우는 초등 1학년 문법 평가 영역에서는 **낱말의 정확한 표기를 알고 있는지, 알맞은 문장을 만들 수 있는지**를 주로 평가합니다.

대표 질문 유형

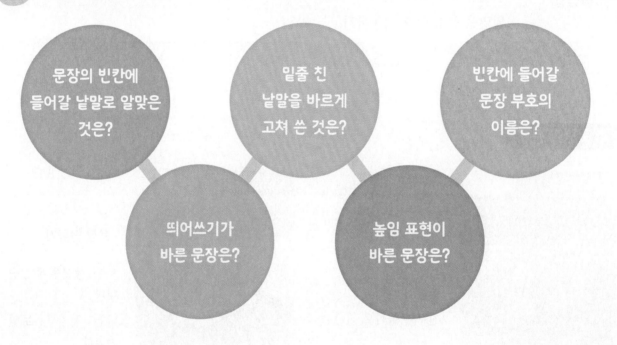

문장의 빈칸에 들어갈 낱말로 알맞은 것은?

밑줄 친 낱말을 바르게 고쳐 쓴 것은?

빈칸에 들어갈 문장 부호의 이름은?

띄어쓰기가 바른 문장은?

높임 표현이 바른 문장은?

주요 평가 요소

낱말의 받침을 정확하게 쓸 수 있는가?	낱말의 정확한 발음을 알고 있는가?	적절한 높임말을 사용할 수 있는가?	낱말의 알맞은 표기를 알고 쓸 수 있는가?	어법에 맞는 문장을 만들 수 있는가?

문법 대표 유형 ❶

문장 · 담화

어법에 맞는 문장을 적절하게 쓸 수 있는지, 상황에 알맞은 종류의 문장을 사용할 수 있는지 평가하는 유형

1 빈칸에 들어갈 말을 알맞게 모은 것은? .... (　　)

| ㉠ | 친구에게 | ㉡ | 빌렸다. |

	㉠	㉡
①	작은	공책과
②	희서가	예쁘다
③	희서는	연필을
④	호영이가	공책이
⑤	호영이는	선물은

낱말을 넣어 문장 쓰기

1 문제 파악하기

알맞은 낱말을 넣어 문장을 완성하는 문제

2 문장의 여러 가지 형태 알아보기

① 누가 + 어찌하다
　㉎ 철수가 간다.
② 누가 + 어떠하다
　㉎ 철수가 착하다.
③ 누가 + 무엇을 + 어찌하다
　㉎ 철수가 공을 던진다.

2 빈칸에 들어갈 낱말로 알맞지 <u>않은</u> 것은? .... (　　)

강아지가 ☐☐☐☐☐

① 빠릅니다.　　　　② 예쁩니다.
③ 운동입니다.　　　④ 귀엽습니다.
⑤ 달려옵니다.

낱말을 넣어 문장 완성하기

● 빈칸에 넣어서 문장의 뜻이 잘 드러나지 않는 낱말을 찾아봅니다.

3 다음 중 <u>띄어쓰기</u>가 바른 문장은? .... (　　)

①	꽃	잎	이		떨	어		진	다	.
②	친	구	가		사	탕	을	준	다	.
③	빨	간	단	풍	잎	이		예	쁘	다	.
④	씨	앗	을		화	분	에		심	었	다	.
⑤	참	새	가		하	늘	을		난	다	.

알맞게 띄어 쓰기

● 띄어쓰기 규칙

① 낱말과 낱말은 띄어 씁니다.
　㉎ 학교∨운동장 / 동생∨방
② '-은(는)', '-이(가)', '-을(를)'과 같은 말은 앞말과 붙여 씁니다.
　㉎ 철수는 / 영수가 / 공책을
③ 꾸며 주는 말과 꾸밈을 받는 말은 띄어 씁니다.
　㉎ 아름다운∨꽃 / 빨간∨사과

발음 · 표기 · 규범

낱말의 알맞은 발음, 낱말의 정확한 표기, 올바른 높임 표현, 알맞은 문장 부호 사용 등을 평가하는 유형

4 그림을 보고 빈칸에 들어갈 낱말로 알맞은 것은? ⋯⋯⋯⋯⋯⋯ (　　　)

보글보글 ☐☐.

① 끓다　　　　　　② 끊다
③ 끌다　　　　　　④ 끌타
⑤ 긁다

낱말의 정확한 표기 알기

1 문제 파악하기

그림을 보고 뜻에 알맞은 낱말을 묻는 문제

2 낱말의 바른 표기와 뜻 살펴보기

• 끌다 – 잡아당기다.
• 끊다 – 떨어지게 하다.
• 끓다 – 물이 뜨거워져서 거품이 일다.

5 다음 글의 ㉠~㉤ 중에서 **잘못 쓴 낱말**은? ⋯⋯⋯⋯⋯ (　　　)

　　오늘은 ㉠가족과 함께 ㉡바닷가에 다녀왔습니다. ㉢꽃게도 보고, 조개도 보았습니다. 너무 재미있었습니다. ㉣그런대 시간이 ㉤빨리 지나가 아쉬웠습니다.

① ㉠　　② ㉡　　③ ㉢　　④ ㉣　　⑤ ㉤

잘못 쓴 낱말 찾기

● 바다가 (×) 바닷가 (○)
● 꽃개 (×) 꽃게 (○)

6 밑줄 친 낱말을 바르게 고쳐 알맞은 문장을 만든 것은? ⋯⋯⋯ (　　　)

　　　　창문을 열고 책상을 잘 다까야 합니다.

① 바지가 더러워 닦가야 합니다.
② 행주로 식탁 위를 다가야 합니다.
③ 수건으로 물기를 잘 다카야 합니다.
④ 바닥에 떨어진 물을 닥가야 합니다.
⑤ 손 소독제로 손을 자주 닦아야 합니다.

낱말 정확하게 쓰기

● 닦다: 먼지 등과 같이 더러운 것을 없애기 위해 문지르다.
● '닦다'의 모양이 바뀔 때 '닦'은 변하지 않습니다.

7 다음 글의 빈칸에 들어갈 문장 부호와 그 이름을 알맞게 연결한 것은? (   )

문장 부호의 이름과 쓰임 알기
● 여러 가지 문장 부호의 쓰임
. – 풀이하는 문장을 끝맺을 때
? – 묻는 문장을 끝맺을 때
! – 감탄을 나타내는 문장을 끝맺을 때
, – 부르는 말 뒤나 끊어 읽는 곳을 나타낼 때

> 지영이와 민수가 분식집에서 무엇을 시켜 먹을지 이야기하고 있습니다.
> 지영: 지난번에는 내가 좋아하는 떡볶이를 먹었지?
> 민수: 응, 그랬지. 그럼 오늘은 내가 좋아하는 튀김을 먹지 않을래?
> 지영: 좋아, 근데 어묵도 시킬까 ☐
> 민수: 당연히 어묵도 시켜야지!

① . – 마침표
② ? – 물음표
③ ! – 느낌표
④ ? – 큰따옴표
⑤ " " – 작은따옴표

8 다음 중 높임 표현을 잘못 사용한 친구는? ················ (   )

① 재연: 선생님, 안녕히 있어요.
② 상민: 어머니, 생신 축하드려요.
③ 수지: 할아버지, 진지 잡수세요.
④ 연우: 할머니 댁에 놀러 가고 싶습니다.
⑤ 형태: 아버지, 새 장난감을 갖고 싶어요.

알맞은 높임 표현 쓰기
● 예사말과 높임말

예사말		높임말
생일	→	생신
밥		진지
집		댁

9 다음 중 밑줄 그은 낱말의 받침을 알맞게 쓴 문장은? ········ (   )

① 의자에 앉자 있습니다.
② 아침을 굶어서 배가 고팠습니다.
③ 어머니께서 계란을 삶아 주셨습니다.
④ 추석이 되자 밝은 보름달이 높이 떴습니다.
⑤ 넓은 운동장에서 친구들과 축구를 했습니다.

겹받침 알맞게 쓰기
● 앉다: 엉덩이를 대고 물건이나 바닥에 몸을 올려놓다.
● 굶다: 밥을 먹지 않다.
● 밝다: 불빛으로 환하다.

평가 영역

문학

● 영역별 문항 수: 4~5문항 / 30문항

분류	평가 영역
지식	• 작품에서 흉내 내는 말 찾기 • 작품에서 빗대어 표현한 대상 찾기
수용과 생산	• 작품을 읽고 인물의 모습이나 장면 떠올리기 • 작품을 읽고 일이 일어난 차례 정리하기 • 작품을 읽고 시간과 장소의 변화에 따라 내용 정리하기 • 작품을 읽고 인물이 처한 상황에서 인물의 마음 떠올리기

문학 작품의 특성

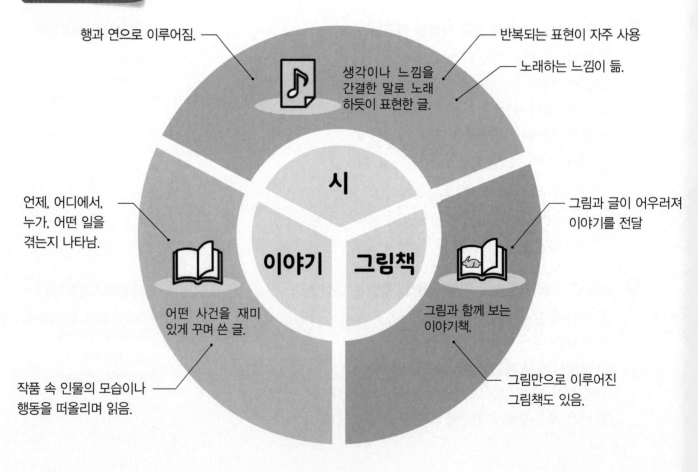

행과 연으로 이루어짐.

반복되는 표현이 자주 사용

노래하는 느낌이 듦.

생각이나 느낌을 간결한 말로 노래하듯이 표현한 글.

시

그림과 글이 어우러져 이야기를 전달

언제, 어디에서, 누가, 어떤 일을 겪는지 나타남.

이야기　**그림책**

그림과 함께 보는 이야기책.

어떤 사건을 재미 있게 꾸며 쓴 글.

작품 속 인물의 모습이나 행동을 떠올리며 읽음.

그림만으로 이루어진 그림책도 있음.

평가의 목적

[문학] 영역에서는 여러 가지 문학 작품의 내용과 형식, 표현을 알 수 있는지 확인하는 문제가 출제됩니다. 자신의 경험을 바탕으로 하여 작품 속 인물이 처한 상황, 모습, 성격 등을 파악할 수 있는지, 작품에 사용된 표현을 통해 말놀이와 말의 재미를 느낄 수 있는지 등을 평가합니다. 이를 위해 그림책, 시, 동요, 이야기 등 다양한 갈래의 문학 작품이 활용됩니다.

특히 초등 1학년 [문학] 영역에서는 **작품을 읽으며 흉내 내는 말이나 비유적 표현을 찾는 문제, 작품 속 인물이나 장면을 상상하는 문제**가 자주 출제됩니다. 따라서 시를 읽을 때에는 시에 쓰인 말의 뜻을 생각하고, 이야기를 읽을 때에는 인물이 한 일이나 인물의 마음을 생각하며 읽는 것이 좋습니다.

대표 질문 유형

시의 밑줄 그은 표현이 뜻하는 것은?

이야기에 나오는 인물의 모습을 알맞게 떠올린 것은?

이어질 이야기를 상상한 것으로 알맞은 것은?

다음 시의 내용을 바르게 이해한 것은?

인물의 말과 행동으로 파악할 수 있는 성격은?

주요 평가 요소

| 작품의 내용을 맥락과 관련지어 이해할 수 있는가? | 작품에 나타난 표현의 특성과 의미를 파악할 수 있는가? | 작품을 읽고 인물의 모습을 상상할 수 있는가? | 작품에 대한 생각이나 느낌을 표현할 수 있는가? | 작품을 읽고 인물의 행동과 마음을 상상할 수 있는가? |

지식

문학 작품의 특성이나 사용된 표현 방법, 구성 요소 등을 파악할 수 있는
지 평가하는 유형

1 다음 시에서 ㉠은 **무엇을 나타낸 표현**인지 알맞게 말한 것은? (　　　)

흉내 내는 말 알기

팝콘

한영우(학생)

쪼그만 옥수수 알갱이가
냄비 안에서
┌ 탁 타타탁
㉠│ 펑펑 펑펑
유리 뚜껑을 열고
나갈라 한다.
힘도 세지
입안에 들어가니
아삭아삭 사라라
부드러운데.

1 문제 파악하기

시에 쓰인 흉내 내는 말이 무엇
을 표현하는지 파악하는 문제

2 시의 내용 살펴보기

팝콘을 만들려고 옥수수 알갱
이를 냄비 안에 넣은 상황
↓
탁 타타탁 / 펑펑 펑펑
↓
옥수수 알갱이가 냄비 안에서
튐.

3 문제 해결하기

옥수수 알갱이가 커다랗게 부
풀면서 튀어 오르는 모습을 어
떻게 표현하였는지 생각해 봅
니다.

① 팝콘을 씹는 소리
② 팝콘의 포장지를 뜯는 소리
③ 냄비의 유리 뚜껑을 여는 모습
④ 냄비의 유리 뚜껑이 깨지는 모습
⑤ 옥수수 알갱이가 냄비 안에서 튀는 모습

2 문제 **1** 의 시 에서 표현한 팝콘에 대해 바르게 이해한 것은? (　　　)

① 냄새는 좋지만 맛은 없다.
② 덩치는 크지만 마음은 약하다.
③ 겉은 거칠지만 속은 향기롭다.
④ 차갑지만 입에 넣으면 따뜻하다.
⑤ 힘은 세지만 입에 넣으면 부드럽다.

시의 내용 파악하기

● 시 속 팝콘의 특성
① 쪼그만 옥수수 알갱이이다.
② 냄비 안에서 탁 타타탁 튄다.
③ 유리 뚜껑을 열고 나갈 것처
럼 힘이 세다.
④ 입안에 들어가니 아삭아삭
부드럽다.

3 다음 이야기에서 ⊙처럼 말하는 황소 아저씨의 모습을 알맞게 떠올린 것은? ·················· (   )

> 황소 아저씨네 추운 외양간에 하얀 달빛이 비치었어요. 그때 생쥐 한 마리가 외양간 모퉁이 벽 뚫린 구멍으로 얼굴을 쏙 내밀었어요. 생쥐는 쪼르르 황소 아저씨 등을 타고 저기 구유 쪽으로 달려갔어요.
> 황소 아저씨는 갑자기 등이 가려워 긴 꼬리를 세차게 후려쳤어요. 달려가던 생쥐는 황소 아저씨가 후려친 꼬리에 튕기어 그만 외양간 바닥에 동댕이쳐졌어요.
> "넌 누구냐?" / 황소 아저씨가 굵다란 목소리로 물었어요.
> "저……, 생쥐예요. 동생들 먹을 것을 찾아 나왔어요. 우리 엄마가 갑자기 돌아가셨어요."
> 황소 아저씨는 뜻밖이었어요.
> "먹을 게 어디 있는데 남의 등을 타 넘고 가니?"
> "저쪽 아저씨 구유에 밥찌꺼기가 있다고 건넛집 할머니께서 가르쳐 주셨어요. 제발 먹을 것을 가져가게 해 주세요."
> ⊙"그랬니? 그럼 얼른 가져가거라. 동생들이 기다릴 테니 내 등 타 넘고 빨리 가거라."
> "아저씨, 참말이에요? 고맙습니다."
> 생쥐는 열네 번이나 황소 아저씨 등을 타 넘었어요.
>
> 「황소 아저씨」 권정생

① 눈물을 흘리며 슬퍼하는 모습
② 생쥐에게 다정하게 말하는 모습
③ 외양간 바닥에 동댕이쳐지는 모습
④ 외양간에서 깊은 잠에 빠져 있는 모습
⑤ 생쥐의 동생들을 귀엽게 바라보는 모습

4 문제 **3** 의 이야기 를 읽고 알맞게 말하지 못한 사람은? ·············· (   )
① 민서: 엄마가 돌아가신 생쥐가 불쌍해.
② 문정: 황소 아저씨가 화를 내서 무서워.
③ 조빈: 황소 아저씨는 친절한 성격인 것 같아.
④ 지유: 자기 밥을 나누어 준 황소 아저씨는 참 착하구나.
⑤ 병욱: 동생들 먹을 것을 찾아 나온 생쥐는 책임감이 강하네.

작품 속 인물 떠올리기

1 문제 파악하기

인물의 말과 행동을 통해 인물의 특성이나 모습을 파악하는 문제

2 이야기의 내용 살펴보기

생쥐가 황소 아저씨의 등을 타고 넘음.
↓
생쥐는 엄마가 돌아가셔서 동생들 먹을 것을 가지러 간다고 말함.
↓
황소 아저씨가 자신의 등을 타 넘고 가라고 함.

3 인물의 마음 생각하기

생쥐를 가엾게 여기고 자신의 등을 타고 어서 가라고 말하는 황소 아저씨의 마음씨는 어떠한지 생각해 봅니다.

생각이나 느낌 말하기

① 내용을 생각하며 생각이나 느낌을 말합니다.
② 인물의 마음을 생각하며 생각이나 느낌을 말합니다.
③ 자신의 경험을 생각하며 생각이나 느낌을 말합니다.

평가 영역 | 어휘

● 영역별 출제 문항 수: 3~4문항 / 30문항

분류	평가 영역
개념	• 흉내 내는 말의 개념을 알고 적절히 사용하기 • 꾸며 주는 말의 개념을 알고 적절히 사용하기
관계	• 유의 관계, 반의 관계의 낱말 찾기 • 포함 관계의 낱말 찾기
의미	• 글에서 낱말의 뜻 짐작하기 • 문맥을 고려하여 바꾸어 쓸 수 있는 낱말 찾기
확장	• 여러 가지 뜻으로 쓰이는 낱말 이해하기 • 상황에 어울리는 속담 표현 찾기

어휘의 주요 관계

유의 관계

마을 = 동네
어린이 = 아이
책방 = 서점

반의 관계

남자 ↔ 여자
크다 ↔ 작다
차갑다 ↔ 뜨겁다

포함 관계

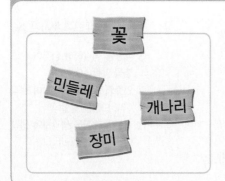

어휘 평가 영역은 우리말의 기초가 되는 국어 낱말의 이해·활용 능력을 평가하기 위한 영역입니다. 어휘는 듣기, 말하기, 읽기, 쓰기 등 모든 국어 활동의 바탕입니다. 일상에서 반복적으로 사용하며 저절로 습득하게 되는 어휘와 읽기를 통해 지식적으로 배우게 되는 어휘가 어휘력의 기초를 이룹니다.

어휘 평가 영역에서는 이러한 어휘의 의미를 어휘의 관계 속에서 정확하게 이해하고 구사할 수 있는지 평가하게 됩니다. 특히 1학년 어휘 영역에서는 **주어진 낱말과 뜻이 비슷한 낱말, 또는 뜻이 반대되는 낱말을 찾을 수 있는지, 상황에 어울리는 흉내 내는 말을 알고 있는지**를 주로 평가합니다.

대표 질문 유형

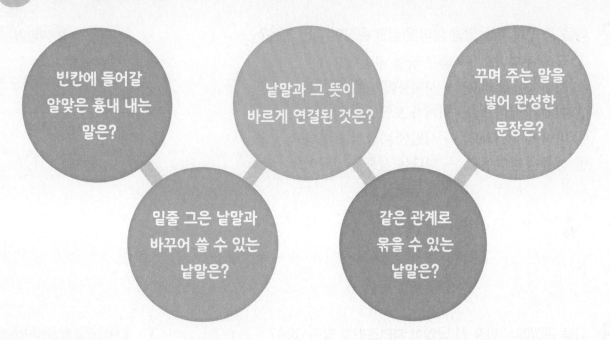

빈칸에 들어갈 알맞은 흉내 내는 말은?

낱말과 그 뜻이 바르게 연결된 것은?

꾸며 주는 말을 넣어 완성한 문장은?

밑줄 그은 낱말과 바꾸어 쓸 수 있는 낱말은?

같은 관계로 묶을 수 있는 낱말은?

주요 평가 요소

| 낱말의 뜻을 이해하고 있는가? | 표현하고자 하는 의미를 적절한 낱말로 나타낼 수 있는가? | 상황에 알맞은 낱말을 사용할 수 있는가? | 여러 낱말 사이의 관계를 파악할 수 있는가? | 상황에 어울리는 속담을 알고 있는가? |

개념

'흉내 내는 말', '꾸며 주는 말'과 같이 낱말의 의미와 특징을 알고 문장에 알맞게 사용할 수 있는지 평가하는 유형

1 다음 문장의 빈칸에 들어갈 알맞은 **흉내 내는 말**은? ·········· (　　)

> 나비가 ⬜⬜⬜⬜⬜ 날아갑니다.

① 훨훨　　　　② 폴짝　　　　③ 글썽글썽
④ 꿈틀꿈틀　　⑤ 뭉게뭉게

흉내 내는 말 이해하기

● 흉내 내는 말
소리나 모양을 비슷하게 말로써 표현해 주는 말을 흉내 내는 말이라고 합니다.

2 다음 중 **꾸며 주는 말**을 넣어 완성한 문장이 **아닌** 것은? ·········· (　　)
① 꿈을 꾸었어요. → 좋은 꿈을 꾸었어요.
② 시냇물이 흘러요. → 시냇물이 졸졸 흘러요.
③ 찌개가 끓어요. → 찌개가 보글보글 끓어요.
④ 바람이 불어와요. → 시원한 바람이 불어와요.
⑤ 선물을 받았어요. → 미나는 선물을 받았어요.

꾸며 주는 말 이해하기

● 꾸며 주는 말
뒤에 오는 말을 꾸며 주어 그 뜻을 자세히 해 주는 말

> 아름다운　　들국화
>
> 반짝반짝　　빛나요.

3 다음 문장에서 밑줄 친 낱말이 자연스럽지 **않은** 것은? ·········· (　　)
① <u>주룩주룩</u> 번개가 쳐요.
② 공이 <u>데굴데굴</u> 굴러갑니다.
③ 개구리가 <u>폴짝폴짝</u> 뜁니다.
④ 거북이가 <u>엉금엉금</u> 기어가요.
⑤ <u>딸랑딸랑</u> 방울 소리가 들려요.

흉내 내는 말 알맞게 사용하기

① 무엇을 흉내 내는 말인지 살펴봅니다.
② 문장의 내용과 흉내 내는 말이 어울리는지 확인합니다.

관계

낱말의 유의 관계, 반의 관계, 포함 관계를 구분하고 해당하는 관계의 낱말을 찾을 수 있는지 평가하는 유형

4 |보기|와 같은 관계로 묶을 수 있는 낱말끼리 짝 지어진 것은? … (　　)

┌─| 보기 |──────────────────────────┐
│　　　동물 – 사자, 호랑이, 거북, 코끼리　　　│
└──────────────────────────────┘

① 어린이, 아동, 어린아이, 소아
② 가구, 책상, 침대, 식탁, 서랍장
③ 아버지, 어머니, 형, 누나, 동생
④ 지우개, 연필, 공책, 물감, 가위
⑤ 죽다, 숨지다, 사망하다, 돌아가시다

포함 관계 이해하기

● 포함 관계
한 낱말의 뜻이 다른 낱말의 뜻을 포함하는 관계

┌─────동물─────┐
│ 사자, 호랑이, 거북, 코끼리 │
└────────────┘

5 다음 그림에서 빈칸에 들어갈 낱말로 알맞은 것은? ……………(　　)

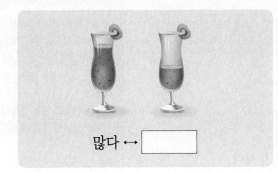

많다 ↔ [　　]

① 낮다
② 작다
③ 적다
④ 줄다
⑤ 짧다

반의 관계 이해하기

● 반의 관계
뜻이 서로 반대인 낱말

● 반의 관계의 낱말 ⓔ

┌────────────┐
│ 깊다 ↔ 얕다 │
│ 무겁다 ↔ 가볍다 │
│ 밝다 ↔ 어둡다 │
└────────────┘

6 다음 글에서 ㉠과 **바꾸어 쓸 수 있는 낱말**로 알맞은 것은? ………(　　)

신나는 생일

　오늘은 내 생일이라 가족과 함께 놀이공원에 갔다. 내가 제일 좋아하는 회전목마를 먼저 타려고 아버지와 줄을 섰다. 줄을 선 사람들이 별로 없어서 금방 회전목마를 탈 ㉠차례가 되었다. 아버지께서 가장 큰 말에 나를 태워 주셨다.

① 날씨　　② 마음　　③ 순서　　④ 준비　　⑤ 질서

유의 관계 이해하기

1 문제 파악하기

┌────────────┐
│ 낱말과 뜻이 비슷한 낱말을 찾는 문제 │
└────────────┘

2 '차례'의 뜻 살펴보기

┌────────────┐
│ 어떤 일을 하거나 어떤 일이 일어나는 순서. │
└────────────┘

의미·확장

낱말의 여러 가지 의미를 짐작하거나 상황에 어울리는 낱말을 찾을 수 있는지 평가하는 유형

7 |보기|의 빈칸에 **공통으로** 들어갈 낱말은? ·············· ( )

|보기|

일기를 ☐　　　모자를 ☐　　　약이 ☐

① 먹다　　　② 보다　　　③ 쓰다
④ 입다　　　⑤ 적다

여러 가지 뜻으로 쓰이는 낱말 알기

1 **문제 파악하기**

여러 가지 뜻을 가지고 있는 낱말을 알고 있는지 확인하는 문제

2 **빈칸에 들어갈 낱말의 뜻 떠올리기**

- 글을 적다.
- 머리에 얹어 덮다.
- 약의 맛과 같다.

---

8 다음 표현과 그 뜻이 바르게 연결된 것은? ·············· ( )

	낱말	뜻
①	풀이 죽다	억울함을 눌러 참다.
②	공손하다	말이 없고 성실하다.
③	맴돌다	아주 멀리 떠나다.
④	샘나다	사랑하고 아끼는 마음을 가지다.
⑤	머쓱하다	창피하거나 수줍어 흥이 꺾이다.

어휘의 뜻 파악하기

● 어휘가 쓰인 예 떠올리기

- 선생님께 꾸중을 듣고 지우는 풀이 죽었다.
- 지우는 할머니께 공손하게 인사했다.
- 지우는 편의점 앞을 맴돌았다.
- 지우는 노래를 잘하는 동준이가 샘났다.
- 지우는 혼자만 웃은 것이 머쓱했다.

---

9 다음 문장에서 빈칸에 들어갈 낱말로 알맞은 것은? ·············· ( )

· 옷의 색깔이 ☐
　　　　↓
　　(뜻) 서로 같지 않다.

① 다르다　　　② 똑같다　　　③ 예쁘다
④ 틀리다　　　⑤ 비슷하다

알맞은 낱말 찾기

1 그림이 나타내는 상황이 무엇인지를 먼저 떠올려 봅니다.

2 낱말의 (뜻)을 보고 주어진 낱말 중에서 문장에 넣었을 때 자연스러운 것을 찾습니다.

HME 국어 학력평가

실전
모의고사

- 〈HME 국어 학력평가〉 평가 영역 완벽 분석
- 〈HME 국어 학력평가〉 대표 유형 중심 반영
- 〈HME 국어 학력평가〉 다양한 출제 유형 제시

1회

2회

3회

4회

[01~02] 다음 대화를 읽고 물음에 답하시오.

정우: 교실 〈잃어버린 물건 상자〉에 물건이 가득 쌓여 있네.

수아: 그래. 물건에 이름이 쓰여 있지 않은 경우가 많아서 주인을 찾아 주기도 힘들어.

소민: 어제 텔레비전 뉴스에서 보았는데 물건을 만들 때에는 나무나 석유 같은 자원이 많이 필요하대.

선호: 친구들에게 물건을 소중하게 생각하라고 말해 주고 싶어.

01 이 대화를 읽고 알 수 있는 내용으로 알맞지 <u>않은</u> 것은? ·············· (   )
① 물건에 이름표가 붙어 있지 않은 것이 많다.
② 반 친구들은 물건을 잃어버리면 찾으려고 노력한다.
③ 선호는 친구들이 물건을 소중하게 여기지 않는 것을 안타깝게 생각한다.
④ 반 친구들은 주인이 없는 물건을 발견하면 〈잃어버린 물건 상자〉에 넣어 둔다.
⑤ 소민이는 텔레비전 뉴스를 보고 물건을 아껴 쓰지 않으면 자원을 낭비하게 된다는 것을 깨달았다.

02 이 대화의 뒤에 이어질 내용으로 알맞은 것은? ·············· (   )
① "교실에 〈잃어버린 물건 상자〉를 없애야 해."
② "자동차를 타지 않고 걸어 다니는 것은 어떨까?"
③ "물건을 자주 잃어버리는 친구하고는 사이좋게 지내지 말자."
④ "물건을 잃어버려도 아깝지 않도록 싼 물건만 사는 것이 좋겠어."
⑤ "물건에는 이름표를 붙여서 잃어버려도 빨리 찾을 수 있도록 해야 해."

03 다음은 소율이가 하루 동안 겪은 일입니다. 세 번째에 겪은 일을 알맞게 말한 것은? ·············· (   )

① 어머니 심부름을 했어.
② 가족과 함께 공원에 갔어.
③ 가족과 함께 점심을 먹었어.
④ 친구들과 놀이터에서 놀았어.
⑤ 오빠와 함께 여러 가지 식물을 보았어.

04 밑줄 그은 낱말이 바른 문장은? ·············· (   )

① 물고기가 <u>해엄</u>을 친다.
② 단풍잎이 <u>붉께</u> 물들었다.
③ 내일 준비물은 <u>줄럼끼</u>이다.
④ 함부로 <u>쓰레기</u>를 버리지 않는다.
⑤ 바람과 해님은 나그네의 <u>왜투</u>를 벗기는 내기를 하였다.

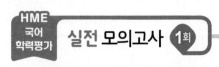

05 다음 그림을 보고 내용을 파악한 것으로 알맞지 <u>않은</u> 것은? ································ (　　　)

① 개미가 물에 빠졌다.

② 개미가 사냥꾼의 다리를 물었다.

③ 비둘기는 총소리에 놀라서 달아났다.

④ 사냥꾼은 총을 쏘아서 비둘기에게 위험하다고 알렸다.

⑤ 비둘기가 나뭇잎을 강물에 떨어뜨려 개미가 살 수 있었다.

06 다음 글을 읽고 가장 중요한 내용을 파악한 것으로 알맞은 것은? ·············· (   )

> 감기나 독감 같은 병을 예방할 수 있는 방법은 생활에서 쉽게 실천할 수 있습니다.
>
> 비누로 손바닥과 손가락을 비벼 가며 열심히 씻고 물로 깨끗하게 헹굽니다. 이렇게 30초 동안 손을 씻으면 손에 번식하는 세균을 없앨 수 있습니다. 손은 밖에 나갔다 들어온 후, 음식을 먹기 전과 같은 때를 포함해서 자주 씻는 것이 좋습니다.
>
> 그리고 손으로 얼굴을 자주 만지지 말아야 합니다. 손으로 얼굴을 자주 만지면 눈, 코, 입으로 세균이 들어가기 쉽습니다.

① 손에는 병을 일으키는 세균이 많다.

② 독감은 다른 사람에게 옮을 수 있다.

③ 손을 많이 씻어야 피부를 보호할 수 있다.

④ 세균은 눈, 코, 입을 통해 몸 안으로 들어간다.

⑤ 감기나 독감을 예방하려면 손을 자주 씻고 손으로 얼굴을 자주 만지지 말아야 한다.

07 다음 밑줄 그은 흉내 내는 말을 넣은 문장이 어색한 것은? ·············· (   )

① 파도가 바위에 <u>철썩철썩</u> 부딪친다.

② 문에 매달린 종이 <u>댕그랑댕그랑</u> 울린다.

③ 긴 막대기를 대자마자 감이 <u>쩍</u> 떨어졌다.

④ <u>산들산들</u> 바람이 불자 태극기가 나부낀다.

⑤ 공이 <u>데굴데굴</u> 미끄럼틀 쪽으로 굴러갔다.

08 다음 편지글의 [㉠]에 들어갈 문장으로 알맞은 것은? ⸻⸻( )

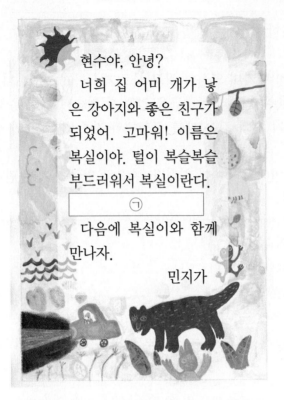

현수야, 안녕?
너희 집 어미 개가 낳은 강아지와 좋은 친구가 되었어. 고마워! 이름은 복실이야. 털이 복슬복슬 부드러워서 복실이란다.
[㉠]
다음에 복실이와 함께 만나자.
민지가

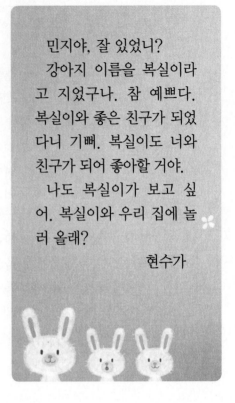

민지야, 잘 있었니?
강아지 이름을 복실이라고 지었구나. 참 예쁘다. 복실이와 좋은 친구가 되었다니 기뻐. 복실이도 너와 친구가 되어 좋아할 거야.
나도 복실이가 보고 싶어. 복실이와 우리 집에 놀러 올래?
현수가

① 복실이가 얼마나 컸는지 궁금하지?
② 복실이가 목욕을 언제 하는지 궁금하지?
③ 복실이가 동물 병원에 언제 가는지 궁금하지?
④ 복실이는 내가 지어 준 이름을 마음에 들어 할지 궁금하지?
⑤ 다른 곳에 간 복실이의 형제들은 잘 지내고 있는지 궁금하지?

09 밑줄 그은 낱말이 알맞지 <u>않은</u> 문장은? ⸻⸻( )

① 고무줄을 길게 <u>늘이다</u>.
② 생각보다 물이 <u>깊지</u> 않다.
③ 구겨진 옷을 <u>다려서</u> 펴다.
④ 뜨거운 국은 <u>식혀서</u> 먹는다.
⑤ 올해는 <u>반듯이</u> 책을 50권 이상 읽겠다.

10 다음 낱말 퍼즐의 ☐ 안에 들어가는 글자의 공통된 받침은?·················(　　　)

〈가로 열쇠〉

❷ 설탕을 끓였다가 식혀서 여러 가지 모양으로 만든 것.

⟨예⟩ '사○'을 많이 먹으면 이가 썩는다.

❹ 얇은 고무주머니 속에 공기 같은 것을 넣어 공중으로 뜨게 만든 물건.

⟨예⟩ '○선'을 너무 크게 불었더니 뻥 터졌다.

〈세로 열쇠〉

❶ 전기로 날개를 돌려 바람을 일으키는 물건. 주로 여름에 씀.

⟨예⟩ 여름에는 '선○기'나 에어컨이 있어야 시원하다.

❸ 쇠고기나 돼지고기를 튀긴 것에 소스를 붓거나 찍어서 먹는 중국요리.

⟨예⟩ 짜장면과 '○수육'을 먹고 싶다.

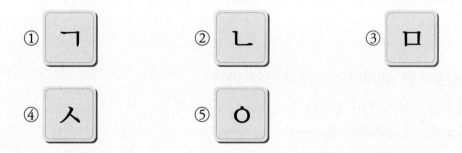

11 다음 글을 읽고 내용을 파악한 것으로 알맞지 <u>않은</u> 것은? ·········· (   )

> 우리 조상들은 아기의 첫 번째 생일에 돌잔치를 했습니다. 돌잔치에서는 맛있는 음식을 차려 나누어 먹고 돌잡이도 했습니다. 돌잡이는 아기가 여러 가지 물건 가운데에서 한두 개를 잡는 것입니다.
> 돌잡이상 위에는 쌀, 떡, 책, 붓, 돈, 활, 실 등을 올려놓았습니다. 실을 잡는 아이는 오래 살 것이라고 생각했습니다. 책을 잡는 아이는 공부를 잘하게 될 것이라고 여겼습니다. 또 쌀을 잡는 아이는 부자가 될 것이라고 했습니다.
> 우리 조상들은 돌잔치를 하면서 아기가 건강하고 행복하게 자라기를 바랐습니다.

① 돌잡이상 위에 놓는 물건에는 각각 뜻이 담겨 있다.
② 돌잔치에는 돌을 맞은 아기와 아기의 부모만 참석한다.
③ 아기가 태어난 날로부터 일 년이 되는 날에 돌잔치를 한다.
④ 돌잔치에는 아기의 건강과 행복을 바라는 마음이 담겨 있다.
⑤ 돌을 맞은 아기가 돌잡이상 위에서 잡는 물건을 보고 아기가 앞으로 어떻게 될 것이라고 짐작했다.

12 다음 밑줄 그은 낱말이 뜻에 알맞게 쓰인 것은? ·········· (   )
① 배추를 소금에 <u>절여</u> 놓는다.
② 쌍둥이인데 생김새가 <u>틀리다</u>.
③ 나보다 내 친구의 키가 <u>적다</u>.
④ 선생님께서 공부를 <u>가리켜</u> 주셨다.
⑤ 친구와의 약속을 <u>잃어버려서</u> 지키지 못했다.

13 다음 글을 읽고 알 수 있는 내용은? ································· (   )

> 우리 가족은 내가 초등학교에 입학한 기념으로 제주도 여행을 떠나기로 하였다.
> 설레는 마음을 안고 제주도로 향하는 비행기에 올랐다. 비행기 창밖으로 보이는
> 하늘은 내 마음처럼 파랬다. 한 시간도 채 되지 않아서 제주 공항에 도착했다. 비
> 행기를 조금 더 타고 싶었는데 너무 빨리 도착해서 아쉬웠다.
> 제주 공항에 도착하여 밖으로 나가니 돌하르방이 우리를 맞아 주었다. 텔레비전
> 이나 책에서만 보았던 돌하르방을 보니 신기했다. 부모님께서 미리 빌려 놓은 차
> 를 타고 우리는 새별오름으로 향했다. 오름은 제주도 말인데 큰 화산 옆에 붙어서
> 생긴 작은 화산이라는 뜻이라고 어머니께서 말씀해 주셨다. 이름도 예쁜 새별오름
> 은 어떤 모습일지 빨리 가 보고 싶었다.

① 새별오름에는 말 목장이 있다.
② 제주도에 가는 날의 날씨가 흐렸다.
③ '나'의 가족은 버스로 제주 곳곳을 여행하기로 하였다.
④ '나'는 제주도로 가는 비행기를 타는 시간이 힘들었다.
⑤ '나'는 제주 공항 밖에서 돌하르방을 실제로 처음 보았다.

14 밑줄 그은 낱말과 바꾸어 쓸 수 있는 낱말로 알맞은 것은? ·········· (   )

> "모자 속에 무엇이 들어 있을까요?"
> 마술사의 한마디에 모두 숨죽이고 기다렸습니다.
> 펑!
> "토끼가 나왔네요!"
> 우리는 모두 손뼉을 쳤습니다.

① 몰래   ② 조용히   ③ 감추며
④ 급하게   ⑤ 지루하게

15 다음 글의 ⊙ 에 알맞은 문장은? ···(   )

> 낙하산은 민들레 씨를 본떠 만들었습니다. 민들레 씨의 가는 실 끝에는 털이 여러 개 달려 있습니다. 이 털이 있어서 민들레 씨는 둥둥 떠서 멀리까지 날아갈 수 있습니다. 또 공기가 털 사이로 빠져 위로 올라가면서 오랫동안 땅으로 떨어지지 않고 천천히 땅에 떨어지게 됩니다. 이런 원리로 낙하산을 이용하면
>
> | ⊙ |
> | --- |

① 우주선의 속도를 높일 수 있습니다.

② 카메라를 매달아 촬영을 할 수 있습니다.

③ 천에 가스를 채워 하늘을 날 수 있습니다.

④ 비행기에서 안전하게 땅으로 내려올 수 있습니다.

⑤ 사람이나 물건을 한 번에 많이 실어 나를 수 있습니다.

16 다음 중 바르게 표현한 문장이 <u>아닌</u> 것은? ·································(   )

① 동생이 종이를 접는다.

② 선생님께서 책을 펴신다.

③ 지현이가 친구가 손을 잡는다.

④ 어머니께서 꽃향기를 맡으신다.

⑤ 나는 물건을 아껴 쓰겠다고 약속하였다.

17 다음 광고를 보고 내용을 알맞게 이해하지 <u>못한</u> 것은? ·····················(   )

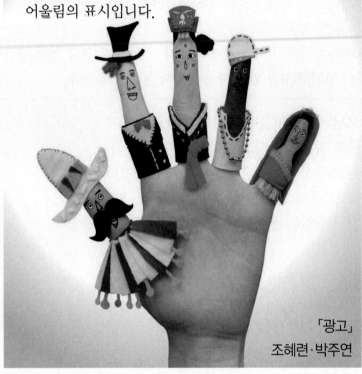

안녕,
우리 친구 하자

이름도 쓰임새도 모두 다른 손가락.
그중 어떤 것도 최고일 수는 없습니다.
함께일 때 완전한 힘을 가지는 우리는
어울림의 표시입니다.

「광고」
조혜련·박주연

① '최고'를 뜻하는 손가락은 나라마다 다르다.
② 친구를 소중하게 여기고 사이좋게 지내야 한다.
③ 얼굴 색깔이나 나라가 다르더라도 친구가 될 수 있다.
④ 나라가 다르고 얼굴이 다르다고 해서 차별하면 안 된다.
⑤ 친구에게 어려운 일이 생기면 서로 힘을 합쳐 도와야 한다.

18 다음 글의 앞부분에서 일어난 일로 알맞은 것은? ·············· (   )

> '어, 여기에 두었는데 없어졌잖아.'
> 나는 화장실 주변을 열심히 찾아 보았지만 없었다. 나중에는 화장실 앞이 아닌 다른 곳에 두었나 싶어서 공원 곳곳을 찾아 보았다. 땀이 흐를 정도로 열심히 찾아 보았지만 아무 곳에도 없었다.
> '한 달 전 내 생일에 부모님께서 선물로 사 주셔서 얼마 타지도 못했는데……..'
> '내가 얼마나 아꼈는데. 매일매일 닦고 기름칠도 해 주었는데……..'
> '집에 돌아가서 자전거를 잃어버렸다고 부모님께 말씀드리면 꾸지람을 들을 텐데……..'
> 찾으러 다니면서 여러 생각이 났다. 그러다가 결국 엉엉 울음이 터졌다. 가져간 사람이 공원 화장실 앞에 다시 가져다 놓으면 좋겠다.

① 부모님과 자전거를 찾으러 다녔다.
② 친구와 자전거를 타고 놀다가 다투었다.
③ 공원 화장실에 다녀오니 자전거가 없어졌다.
④ 다음 날 공원 화장실 앞에 내 자전거가 놓여 있었다.
⑤ 자전거를 찾는 종이를 만들어서 공원 곳곳에 붙였다.

19 다음 중 문장 부호가 알맞지 <u>않은</u> 것은? ·············· (   )

> 우리가 오늘 가는 현장 체험 학습 장소는 저 산 너머에 있다 ①[.]
>
> 현장 체험 학습 장소에 가니 참새, 까치 ②[,] 비둘기 들이 우리를 반겨 주었다.
>
> 현장 체험 학습 때 선생님께서 여러 가지 놀이를 가르쳐 주셨다. 우리 선생님 최고 ③[?]
>
> 선생님께서는 점심을 먹고 나면 과일을 먹든지 과자를 먹든지 하라고 하셨다.
>
> 나는 ④[']무엇부터 먹지?⑤['] 하고 생각했다.

20 　ⓐ~ⓒ 에 들어갈, 마음을 나타내는 말이 알맞게 짝 지어진 것은?(　　　)

> 연아에게
>
> 연아야, 안녕?
>
> 나 재원이야. 너에게 마음을 전하고 싶은데 　ⓐ　 이렇게 편지를 쓰게 되었어.
>
> 체육 활동 시간이 되면 나는 신나면서도 무서웠어. 체육 활동을 하는 것이 재미있기는 하지만 내가 운동을 잘하지 못해서 늘 걱정이 되었거든. 오늘도 너와 함께 큰공굴리기를 하다가 그만 넘어지고 말았지. 내가 넘어지는 바람에 너도 넘어지고 우리는 결국 다른 편에게 지고 말았어. 연아 너는 운동과 달리기도 잘하는데 나 때문에 진 것 같아서 　ⓑ　.
>
> 그런데 네가 나를 일으켜 주고 다음에 잘하면 된다고 말해 주었잖아. 　ⓒ　, 연아야. 너의 따뜻한 마음을 잊지 않을게.
>
> 20○○년 ○○월 ○○일
>
> 재원이가

	ⓐ	ⓑ	ⓒ
①	당황스러워서	신기했어	미안해
②	낯설어서	반가웠어	행복해
③	속상해서	화가 났어	자랑스러워
④	부끄러워서	섭섭했어	축하해
⑤	쑥스러워서	미안했어	고마워

21 다음 밑줄 그은 낱말의 뜻으로 알맞은 것은? ─────────────── (　　)

〈뜻〉

① 국수에서 <u>김</u>이 모락모락 난다. ― 입에서 나오는 더운 기운.

② <u>개울</u>에서 노니까 시원하다. ― 넓고 길게 흐르는 큰 물줄기.

③ <u>비지땀</u>을 흘리며 짐을 나른다. ― 구슬처럼 방울방울 맺힌 땀.

④ 새로 빤 옷은 <u>부들부들하다</u>. ― 살갗에 닿는 느낌이 매우 껄끄럽다.

⑤ <u>감쪽같이</u> 옷의 얼룩을 지웠다. ― 전혀 알아챌 수 없을 정도로 티가 나지 않게.

22 ㉮가 빗대어 표현하는 것은? ·· (   )

> ### 소나기
>
> 오순택
>
> 누가 잘 익은 콩을
> 저렇게 쏟고 있나
>
> ㉮ ┌ 또로록 마당 가득
>   └ 실로폰 소리 난다
>
> 소나기 그치고 나면
> 하늘빛이 더 맑다

① 콩을 쏟는 소리   ② 소나기가 내리는 소리
③ 바람이 세게 부는 소리   ④ 시냇물이 흘러가는 소리
⑤ 항아리를 두드리는 소리

23 ㉮와 ㉯의 문장에 대한 설명으로 알맞지 **않은** 것은? ·········· (   )

> ㉮ 현지는 혼자 줄넘기 연습을 하다가 문득 하늘을 올려다보았습니다.
>   "㉮하늘 좀 봐!"
>   현지의 눈에 구름 한 점 없이 맑고 푸른 하늘이 참 예쁘게 보였습니다.
> ㉯ 날씨가 흐려서 그런지 낮인데도 어둑어둑합니다. 어머니께서는 창밖을 내다보
>   고 있는 현지에게 물으십니다.
>   "오늘 일기 예보에는 오후에 비가 온다고 했는데, 비가 올 것 같니? ㉯하늘 좀
>   봐."

① ㉮는 느낌을 표현한다.
② ㉯는 하늘에 대해서 알기 쉽게 설명하고 있다.
③ ㉯를 "하늘을 좀 보아라."라고 바꾸어 써도 뜻이 통한다.
④ ㉮에는 맑은 하늘을 보고 예쁘다고 생각하는 마음이 담겨 있다.
⑤ ㉯에는 어머니께서 현지에게 하늘을 봐 달라고 하는 뜻이 담겨 있다.

24 다음 이야기를 읽고 떠오르는 장면으로 알맞지 <u>않은</u> 것은? ⋯⋯⋯⋯⋯⋯ (　　)

⑺ 가게 이름이 '마녀 할매 국수'라니 좀 이상했어요. 유리문 안으로 앞치마를 두른 할머니 뒷모습이 보였지요. 할머니가 국자를 내려놓고 뒤돌아섰어요. 순간 나도 한 걸음 물러섰지요. 툭 튀어나온 광대와 뾰족한 매부리코가 꼭 마녀 할머니 같았거든요.

⑻ 나는 텔레비전을 보다가 웃음이 '빵' 터졌어요. 방바닥을 '탁탁' 두드리며 배를 잡고 웃었지요. 정말 눈물이 찔끔 나올 만큼 웃겼거든요. 하지만 아빠는 웃지 않았어요. 높은 아파트에 살 때는 잘 웃고 나랑 많이 놀아 줬는데⋯⋯. 지하방으로 이사 오면서부터 날마다 술만 마셔요. 갑자기 마녀 할머니가 떠올랐어요. 내가 마법을 할 수 있다면 아빠 웃음도 찾아 줄 수 있을 거예요.

⑼ "전 괜찮아요. 엄마가 하늘나라에서 항상 지켜본다고 했으니까요."
할머니가 나를 보며 씨익 웃었어요.
"이래 씩씩하니까 하늘나라에 있는 엄마도 아무 걱정 없겠네."

⑽ 나는 할머니가 가르쳐 준 대로 두부 한 모를 사서 집으로 왔어요.
"라와아돌 아음웃!"
주문을 외우는 것도 잊지 않았지요. 나는 두부김치볶음을 예쁜 접시에 담았어요. 그리고 아빠에게 쪽지를 썼지요.
"아빠, 술만 먹으면 몸에 안 좋대요. 이거랑 같이 먹어요. 내가 만들었어요."

⑾ 내가 만든 요리와 쪽지를 발견한 거예요. 아빠가 어떤 표정을 지을지 가슴이 콩콩 뛰었어요. 그런데 왜 이렇게 쪽지를 오래 보는 걸까요. 아주 짧은 글인데 말이에요. 나는 너무 궁금해서 한쪽 눈을 살며시 떴어요. 아빠 어깨가 가끔씩 움찔거렸어요. 하지만 아빠가 등을 돌리고 있어서 얼굴을 볼 수 없었지요. 아빠는 한참을 서 있다가 밥상 앞에 앉았어요. 그리고 내가 만든 음식을 먹기 시작했어요.

「우리 동네 마녀 할머니」 이영아

① 글 ⑺: '나'가 국수 가게 할머니의 얼굴을 보고 깜짝 놀라는 모습
② 글 ⑻: '나'가 아빠의 모습을 보고 아빠를 웃게 해 줄 방법을 떠올리는 모습
③ 글 ⑼: 마녀 할머니가 '나'를 흐뭇하게 바라보는 모습
④ 글 ⑽: '나'가 아빠가 웃음을 찾기를 바라며 주문을 외우고 두부김치볶음을 만드는 모습
⑤ 글 ⑾: 아빠가 '나'가 만든 음식이 맛있어서 껄껄 웃는 모습

25 다음 이야기에서 일이 일어난 차례를 | 보기 |를 보고 알맞게 늘어놓은 것은? (   )

> 옛날에 마음씨 나쁜 구두쇠 영감이 국밥집을 차렸어요.
> 어느 날, 옆 마을에 사는 최 서방이 국밥집 앞을 지나면서 국밥 냄새를 맡았어요.
> 그러자 구두쇠 영감은 크게 화를 내며 말했어요.
> "아, 국밥 냄새를 맡았으면 돈을 내야지."
> 최 서방은 기가 막혔어요.
> "냄새 맡은 값이라니요?"
> "냄새를 맡은 것도 국밥을 먹은 것이나 마찬가지야."
> 최 서방은 화가 났어요.
> 최 서방은 돈주머니를 꺼내어 구두쇠 영감의 귀에 대고 흔들었어요.
> "이 소리가 들리지요?"
> "이것은 엽전 소리가 아닌가?"
> "분명히 들었지요?"
> "틀림없이 들었네."
> "그럼 됐어요."
> 최 서방은 구두쇠 영감에게 말했어요.
> "엽전 소리를 들었으니 돈을 받은 것이나 마찬가지예요."
> "아니, 뭐라고?"
> 구두쇠 영감은 창피해서 얼굴이 빨개졌어요.

┤ 보기 ├
㉮ 구두쇠 영감이 엽전 소리를 들었다고 하였다.
㉯ 구두쇠 영감이 최 서방에게 국밥 냄새 맡은 값을 달라고 하였다.
㉰ 최 서방이 엽전 소리를 들었으니 돈을 받은 것과 같다고 하였다.
㉱ 최 서방이 돈주머니를 꺼내어 구두쇠 영감의 귀에 대고 흔들었다.

① ㉮ - ㉯ - ㉰ - ㉱   ② ㉯ - ㉮ - ㉰ - ㉱
③ ㉱ - ㉮ - ㉰ - ㉯   ④ ㉱ - ㉮ - ㉯ - ㉰
⑤ ㉯ - ㉱ - ㉮ - ㉰

26 다음 이야기에서 장소의 바뀜이 나타나지 <u>않은</u> 부분은? ·······(   )

옛날 옛날 먼 옛날의 일입니다. 어느 날 아침, 소금 장수가 고개를 넘어가다가 굶주린 호랑이와 마주쳤습니다.

"호랑이님, 한 번만 살려 주십시오."

호랑이는 들은 척도 하지 않고 소금 장수를 통째로 삼켜 버렸습니다.

"아, 배고파, 어디 더 먹을 것 없나?"

호랑이는 먹을 것을 찾아 다음 고개로 넘어가기로 하였습니다.

① 다음 고개에서 호랑이는 기름 장수를 만났습니다. 호랑이는 기름 장수도 한 입에 삼켜 버렸습니다.

② 깜깜한 호랑이 배 속에서 소금 장수와 기름 장수가 만났습니다.
두 사람은 등잔불을 켜고 빠져나갈 궁리를 했습니다. 그때 호랑이가 벌떡 일어나는 바람에 등잔이 엎어지고 뜨거운 기름이 쏟아졌습니다. 호랑이가 뜨거워서 펄쩍펄쩍 뛸수록 더 많은 기름이 쏟아져 불이 더 붙었습니다. 두 사람은 불을 피해 소금 장수의 가마니 뒤에 숨었습니다.

③ 이튿날 아침 두 사람은 죽은 호랑이의 입을 열고 나가기로 하였습니다.

④ 소금 장수와 기름 장수는 호랑이 배 속에서 기어 나와서 죽은 호랑이를 둘러메고 마을로 돌아왔습니다. 그동안 사람을 해치던 호랑이를 죽이고 살아 돌아온 두 사람의 이야기가 온 나라에 퍼져 임금님까지 그 이야기를 듣게 되었습니다.

⑤ 임금님은 소금 장수와 기름 장수를 궁궐로 불렀습니다. 궁궐에 온 소금 장수와 기름 장수에게 임금님이 말했습니다.
"사나운 호랑이를 물리친 너희에게 큰 상을 내리겠노라."
임금님의 상을 받은 두 사람은 오래오래 행복하게 살았습니다.

27 다음 시의 [㉠]에 알맞은 흉내 내는 말은? ·····················(   )

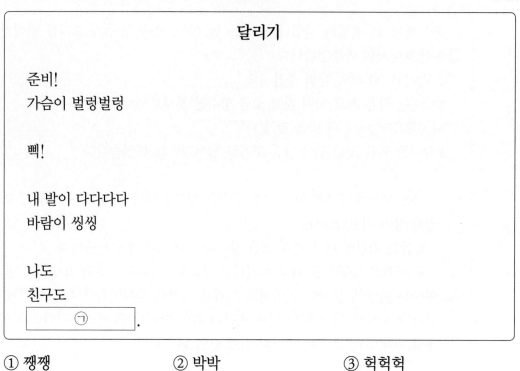

달리기

준비!
가슴이 벌렁벌렁

삑!

내 발이 다다다다
바람이 씽씽

나도
친구도
[㉠].

① 쨍쨍   ② 박박   ③ 헉헉헉
④ 쏙쏙쏙   ⑤ 살랑살랑

28 다음은 주원이와 민서가 인상 깊었던 일을 글로 쓰기 위하여 내용을 정리한 것입니다. 알맞지 <u>않은</u> 내용은? ·····················(   )

질문	주원	민서
언제 어디에서 있었던 일이지?	① 지난 토요일에 공원에서	② 오늘 점심시간에 급식실에서
어떤 일이 있었지?	③ 신나고 재미있었어.	④ 처음으로 미역무침을 먹었어.
어떤 생각이나 느낌이 들었지?	내가 만든 연을 하늘 높이 날리니 정말 즐거웠어.	⑤ 싫어했던 반찬을 먹게 되어 좋았어.

29 짝에 대해 소개하는 글을 쓰려고 합니다. ㉠ ~ ㉤ 에 들어갈 내용으로 알맞지 않은 것은? .... (   )

- 이름과 성별: [㉠]
- [㉡] : 키가 크고 눈썹이 진하다.
- 좋아하는 것: [㉢]
- [㉣] : 달리기를 잘한다. 우리 반 학생들 가운데에서 가장 빠르다.
- 성격: [㉤]

① [㉠] : 윤성빈이고 남자이다.

② [㉡] : 모습

③ [㉢] : 축구를 좋아해서 매일 축구를 한다.

④ [㉣] : 장래 희망

⑤ [㉤] : 적극적이고 명랑하며 친절하다.

30 다음 편지의 ①~⑤ 중에서 고쳐 써야 할 낱말은? .... (   )

미호에게

미호야, 안녕! 나, 진주야.
처음에 우리 반에서 나만 짝이 ①없어서 너무 쓸쓸했어. 그런데 네가 전학을 와서 내 짝이 되었지. 학교를 ②맞히고 너와 ③같이 집에 가면서 이야기할 때가 정말 좋아. 그리고 너랑 같이 놀이터에 ④갔다 와서 더 친해진 것 같아. 정말 고마워. 나도 너에게 좋은 친구가 되고 싶어.
앞으로도 친하게 지내자. 안녕!

20○○년 ○○월 ○○일
네 ⑤짝꿍 진주가

[01~02] 다음을 보고 물음에 답하시오.

01 선생님께서 말씀하신 내용으로 알맞지 <u>않은</u> 것은? ·······(   )

① 물을 가지고 와야 한다.

② 돗자리를 가지고 와야 한다.

③ 과자는 봉지째 가지고 와야 한다.

④ 수목원에 쓰레기를 버리면 안 된다.

⑤ 내일 수목원으로 현장 체험 학습을 간다.

02 그림에서 선생님 말씀을 듣는 자세가 바른 사람은? ·······(   )

① 연서   ② 화정

③ 재일   ④ 학수

⑤ 여나

03 다음 대화 상황에서 한 말 중 듣는 사람의 기분을 생각하며 말하지 <u>못한</u> 것은?

( )

	대화 상황	한 말
①	친구와 만나기로 한 약속 시간에 늦었을 때	늦어서 정말 미안해.
②	친구가 학교에 새로 산 옷을 입고 왔을 때	와, 예쁘다. 정말 잘 어울려.
③	친구가 줄넘기 10개 하는 것에 도전했다가 실패했을 때	더 열심히 연습하면 잘할 수 있을 거야.
④	친구가 복도에서 뛰다가 나와 부딪쳐서 미안하다고 사과할 때	괜찮아. 다음에는 조심해 줘.
⑤	그림을 그리는데 친구가 실수로 내 팔을 쳐서 그림을 망쳤을 때	야! 이거 어떡할 거야?

[04~05] 다음 글을 읽고 물음에 답하시오.

> 우리 조상들은 아기의 첫 번째 생일에 돌잔치를 했습니다. 돌잔치에서는 맛있는 음식을 차려 나누어 먹고 돌잡이도 했습니다. 돌잡이는 아기가 여러 가지 물건 가운데에서 한두 개를 잡는 것입니다.
>
> 돌잡이상 위에는 쌀, 떡, 책, 붓, 돈, 활, 실 등을 올려놓았습니다. 실을 잡는 아이는 오래 살 것이라고 생각했습니다. 책을 잡는 아이는 공부를 잘하게 될 것이라고 여겼습니다. 또 쌀을 잡는 아이는 부자가 될 것이라고 했습니다.
>
> 우리 조상들은 돌잔치를 하면서 아기가 건강하고 행복하게 자라기를 바랐습니다.

04 돌잔치를 할 때 돌잡이상에서 아이가 잡는 물건의 의미를 알맞게 연결한 것은?

....(   )

	잡는 물건	의미
①	실	건강하게 살 것이다.
②	책	부자가 될 것이다.
③	쌀	오래 살 것이다.
④	책	공부를 잘할 것이다.
⑤	쌀	요리를 잘할 것이다.

05 우리 조상들이 아기의 첫 번째 생일에 돌잔치를 한 것에 담긴 의미로 알맞은 것은?

....(   )

① 아기를 낳은 어머니를 축하하는 의미
② 가족의 수가 많아지기를 바라는 의미
③ 친척들이 사이좋게 지내기를 바라는 의미
④ 아기가 커서 돈을 많이 벌기를 바라는 의미
⑤ 아기가 건강하고 행복하게 자라기를 바라는 의미

┌───┐
│   ⎡ ㉠ ⎤   │
│   │
│   학교에서 공 굴리기 놀이를 했다. 짝과 함께 큰 공을 빨리 굴리는 놀이였다. 나는 호순 │
│ 이와 짝이 되었다. 우리 차례가 되었다. 나와 호순이는 큰 공을 있는 힘껏 굴렸다. 결승점 │
│ 에 왔을 때 우리 편 친구들이 기뻐하는 소리가 들렸다. ⎡   ㉡   ⎤   │
└───┘

06 ⎡ ㉠ ⎤에 들어갈 이 글의 제목으로 가장 알맞은 것은? ·················· (   )

① 결승점

② 호순이

③ 공 굴리기

④ 우리 편 친구들

⑤ 학교에서 공 굴리기 놀이를 했는데 나는 호순이와 짝이 되었다

07 이 글의 글쓴이가 들었을 생각이나 느낌으로 ⎡ ㉡ ⎤에 들어갈 알맞은 내용은?

·················· (   )

① 지겨웠다.

② 정말 재미있었다.

③ 친구들에게 미안했다.

④ 호순이 때문에 화가 났다.

⑤ 속상해서 눈물이 날 것 같았다.

08 다음 글을 읽고 |보기|와 같이 글쓴이가 한 일을 시간의 순서에 따라 정리할 때 빈칸에 들어갈 내용으로 알맞은 것은? ·······························(   )

> 기다리던 토요일 아침이다. 우리 가족은 놀이공원으로 출발했다. 회전목마를 탈 생각을 하니 마음이 설렜다.
>
> 사람들이 서 있는 줄이 길어도 회전목마를 탈 생각에 신이 났다. 드디어 회전목마를 탈 차례가 되었다. 어머니와 나는 말 등에 타고, 동생과 아버지는 마차에 탔다. 처음에는 말이 오르락내리락 움직이는 게 조금 무서웠다. 하지만 시간이 지나니 무섭지 않고 재미있었다.
>
> 솜사탕을 먹고 있는 친구들이 부러웠다. 내 마음을 아셨는지 어머니께서 솜사탕을 사 주셨다. 공룡 모양의 솜사탕이 달콤했다.

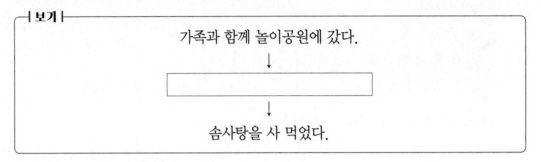

① 조랑말을 구경하였다.
② 공룡 모형 전시회를 봤다.
③ 가족과 함께 회전목마를 탔다.
④ 말에게 먹이 주는 체험을 하였다.
⑤ 돗자리를 깔고 집에서 싸 온 도시락을 먹었다.

추석은 온 가족이 ㉠모이는 명절입니다. 곳곳에 사는 친척들이 고향 집으로 ㉡옵니다. 오랜만에 만난 가족은 도란도란 이야기를 나누며 음식을 만듭니다. 햇과일과 햇곡식으로 만든 음식은 정성스럽게 차례상에 ㉢올리고 가족과 나누어 먹습니다.

09 추석에 대한 설명으로 알맞지 <u>않은</u> 것은? ────────────── (　)

① 차례를 지낸다.
② 웃어른께 세배를 한다.
③ 햇곡식으로 음식을 만든다.
④ 가족과 음식을 나누어 먹는다.
⑤ 친척들이 고향으로 모이는 날이다.

10 ㉠~㉢과 관계 있는 낱말을 |보기|와 같이 정리했을 때 빈칸에 들어갈 낱말로 알맞은 것은? ────────────────────────────── (　)

┤보기├
㉠ ↔ ☐　　　　　　㉡ ↔ 가다　　　　㉢ ↔ 내리다

① 합하다　　　　　　　　② 뭉치다
③ 쌓이다　　　　　　　　④ 흩어지다
⑤ 집중하다

[11~12] 다음 글을 읽고 물음에 답하시오.

비사치기는 돌멩이를 이용한 놀이입니다. 먼저, 평평하고 잘 세워지는 손바닥만 한 돌멩이를 준비합니다. 두 편으로 나누고 땅바닥에 줄을 긋습니다. 가위바위보를 하여 진 편은 준비한 돌멩이를 줄 위에 세워 놓습니다. 이긴 편은 한 사람씩 나와 자신의 돌을 가지고 상대의 돌을 넘어뜨립니다. 돌은 발등이나 배 위에 올려 옮길 수도 있고, 무릎 사이에 끼워 옮길 수도 있습니다. 세워 놓은 상대의 돌멩이를 다 넘어뜨리면 이깁니다.

11 비사치기를 할 때 필요한 돌멩이로 알맞은 것은? ⋯⋯⋯⋯⋯⋯⋯⋯⋯ (   )
① 색깔이 진하고 단단한 돌멩이
② 크고 물결 무늬가 있는 돌멩이
③ 동글동글해서 잘 굴러가는 돌멩이
④ 길쭉한 모양으로 무게가 무거운 돌멩이
⑤ 평평하고 잘 세워지는 손바닥만 한 돌멩이

12 다음 친구들 중 비사치기에서 이긴 사람은? ⋯⋯⋯⋯⋯⋯⋯⋯⋯ (   )
① 태주: 내가 가장 큰 돌멩이를 찾았어!
② 재신: 와! 상대의 돌멩이를 다 넘어뜨렸다!
③ 은서: 내 돌멩이가 네 돌멩이 위에 올라갔지?
④ 지완: 내 돌멩이가 가장 여러 개의 조각으로 쪼개졌어.
⑤ 계영: 가장 큰 숫자가 쓰여 있는 칸에 들어간 돌멩이가 내 돌멩이야.

13 다음은 엄마께서 민찬이에게 쓰신 쪽지입니다. I 보기 I의 내용 중 민찬이가 해야 할 일을 순서대로 늘어놓은 것은? ……………………………………………………………… (   )

> 민찬아, 학교 잘 다녀왔니?
> 집에 오자마자 손과 발을 깨끗이 씻었지? 식탁 위에 있는 바나나를 먹고, 껍질은 꼭 음식물 쓰레기통에 잘 버려 줘. 마지막으로 필통에 있는 연필을 깎아 두렴.
> 엄마는 3시에 집으로 올 거야. 그때 만나자.
>
> 사랑하는 엄마가

┤ 보기 ├
㉠ 손발 씻기
㉡ 연필 깎기
㉢ 바나나 먹기
㉣ 바나나 껍질을 음식물 쓰레기통에 버리기

① ㉠ → ㉡ → ㉢ → ㉣
② ㉢ → ㉣ → ㉠ → ㉡
③ ㉡ → ㉢ → ㉣ → ㉠
④ ㉠ → ㉢ → ㉣ → ㉡
⑤ ㉡ → ㉠ → ㉢ → ㉣

[14~15] 다음 시를 읽고 물음에 답하시오.

> 달리기
>
> 준비!
> 가슴이 ㉠벌렁벌렁
>
> 삑!
>
> 내 발이 다다다다
> 바람이 씽씽
>
> 나도
> 친구도
> 헉헉헉.

14 ㉠과 바꾸어 쓸 수 있는 흉내 내는 말로 알맞은 것은? ·················· ( )

① 살금살금　　　　　② 쿵쾅쿵쾅
③ 소곤소곤　　　　　④ 데굴데굴
⑤ 하하 호호

15 이 시를 읽고 비슷한 경험을 떠올린 사람은? ·················· ( )

① 예린: 친구가 전학을 가서 너무 슬펐어.
② 민오: 친구들과 줄넘기 시합을 할 때 정말 떨렸어.
③ 주혁: 명절에 오랜만에 친척들을 만나서 반가웠어.
④ 정하: 아빠께서 생일 선물로 색연필을 주셔서 정말 기뻤어.
⑤ 연아: 할머니랑 통화를 하는데 할머니가 편찮으시다고 해서 걱정됐어.

[16~17] 다음 글을 읽고 물음에 답하시오.

나무꾼이 숲에서 나무를 하는데 노루 한 마리가 달려왔습니다.
"㉠나무꾼님, 나무꾼님! 사냥꾼이 쫓아와요. 제발 저를 숨겨 주세요."
나무꾼은 얼른 나뭇단 밑에 노루를 숨겨 주었습니다.
잠시 뒤, 사냥꾼이 헐레벌떡 뛰어왔습니다.
"여보시오, 혹시 노루 한 마리가 이쪽으로 오는 걸 보지 못했소?"
"노루요? 아니요, 여기에는 아무것도 오지 않았어요."
사냥꾼은 아쉬워하며 숲속으로 사라졌습니다.
"나무꾼님, 목숨을 구해 주셔서 고맙습니다."
노루가 말했습니다.

16 ㉠을 실감 나게 읽는 방법으로 알맞은 것은? ─────────────────── (   )
① 지루하다는 듯이 힘없는 목소리로
② 몹시 급한 마음이 느껴지는 목소리로
③ 화가 났다는 듯이 크고 무서운 목소리로
④ 고마운 마음이 느껴지는 다정한 목소리로
⑤ 아무것도 모른다는 듯이 퉁명스러운 목소리로

17 노루가 나무꾼에게 한 부탁으로 알맞은 것은? ─────────────────── (   )
① 먹이를 달라고 부탁하였다.
② 자기를 숨겨 달라고 부탁하였다.
③ 자기를 죽이지 말아 달라고 부탁하였다.
④ 함께 달리기 시합을 하자고 부탁하였다.
⑤ 잃어버린 새끼를 찾아 달라고 부탁하였다.

18 다음 이야기에서 인물의 의견을 |보기|와 같이 정리할 때 빈칸에 들어갈 내용으로 알맞은 것은? ⋯⋯⋯⋯⋯⋯⋯⋯⋯⋯⋯⋯⋯⋯⋯⋯⋯⋯⋯⋯⋯⋯⋯⋯⋯⋯⋯⋯⋯ (   )

> 옛날에 마음씨 나쁜 구두쇠 영감이 국밥집을 차렸어요.
> 어느 날, 옆 마을에 사는 최 서방이 국밥집 앞을 지나면서 국밥 냄새를 맡았어요. 그러자 구두쇠 영감은 크게 화를 내며 말하였어요.
> "아, 국밥 냄새를 맡았으면 돈을 내야지."
> 최 서방은 기가 막혔어요.
> "냄새 맡은 값이라니요?"
> "냄새를 맡은 것도 국밥을 먹은 것이나 마찬가지야."
> 최 서방은 화가 났어요. 최 서방은 돈주머니를 꺼내어 구두쇠 영감의 귀에 대고 흔들었어요.
> "이 소리가 들리지요?"
> "이것은 엽전 소리 아닌가?"
> "분명히 들었지요?"
> "틀림없이 들었네."
> "그럼 됐어요."
> 최 서방은 구두쇠 영감에게 말했어요.
> "엽전 소리를 들었으니 돈을 받은 것이나 마찬가지예요."
> "아니, 뭐라고?"
> 구두쇠 영감은 창피해서 얼굴이 빨개졌어요. 국밥집에 있던 사람들이 모두 웃음을 터뜨렸어요.

┌ 보기 ┐

구두쇠 영감의 의견	국밥 냄새를 맡은 것은 국밥을 먹은 것과 마찬가지이므로 돈을 내야 한다.
최 서방의 의견	[ ]은 돈을 받은 것과 마찬가지이므로 돈을 내지 않아도 된다.

① 돈을 낸 것   ② 코를 막은 것
③ 국밥을 반만 먹은 것   ④ 엽전 소리를 들은 것
⑤ 주변 사람들이 웃은 것

[19~20] 다음 글을 읽고 물음에 답하시오.

어느 작고 평화로운 마을에 양치기 소년이 살았어요. 양치기 소년은 아침마다 양 떼를 몰고 풀밭으로 갔어요. 풀밭에 벌렁 드러누워 한가로이 풀을 뜯는 양 떼를 보며 생각했어요.

'뭐, ㉠재미있는 일 없을까?'

소년은 벌떡 일어나 마을 사람들을 향해 큰 소리로 외쳤어요.

"늑대다! 늑대가 나타났다!"

소년의 목소리가 들리자 마을 사람들은 모두 급히 풀밭 위로 뛰어왔어요.

"아하하하하하!"

양치기 소년은 달려온 사람들을 보고 웃었어요. 마을 사람들은 양치기 소년이 거짓말한 것을 알고 화를 내며 돌아갔어요.

며칠 뒤, 양치기 소년은 또다시 늑대가 나타났다고 큰 소리로 외쳤어요. 이번에도 양치기 소년의 거짓말이라는 것을 안 마을 사람들은 크게 화를 냈어요.

"또 장난이야? 이젠 네 말을 듣지 않을 테다."

그런데 며칠 뒤, 진짜 늑대가 나타났어요. 깜짝 놀란 소년은 힘껏 외쳤어요.

"늑대다! 늑대가 나타났다!"

하지만 마을 사람들은 믿지 않았어요.

"쳇! 거짓말쟁이. 우리가 또 속을 줄 알고?"

양치기 소년은 엉엉 울면서 자신의 행동을 후회했어요.

19 소년이 생각한 ㉠'재미있는 일'은? ⋯⋯⋯⋯⋯⋯⋯⋯⋯⋯⋯⋯ (　　　)

① 양에게 풀을 먹이는 것

② 양을 데리고 도망가는 것

③ 풀밭에 나타난 늑대를 쫓아내는 것

④ 양이 도망갔다고 거짓말을 하는 것

⑤ 늑대가 나타났다고 거짓말을 하는 것

20 글쓴이가 이 글을 통해 전하고자 한 생각으로 알맞은 것은? ⋯⋯⋯ (　　　)

① 동물을 보호하자.　　　　② 편식을 하지 말자.

③ 거짓말을 하지 말자.　　　④ 이웃과 친하게 지내자.

⑤ 밤에 큰 소리로 말하지 말자.

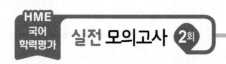

[21~22] 다음 말놀이를 보고 물음에 답하시오.

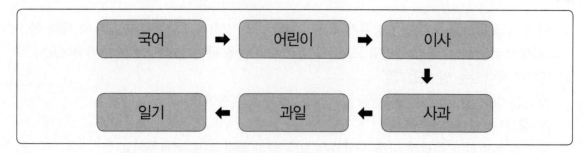

21 말놀이를 한 방법으로 알맞은 것은? ·····( )

① 질문에 답하면서 말을 주고받는 놀이

② 똑같은 글자로 끝나는 낱말을 이어서 말하는 놀이

③ 똑같은 글자로 시작하는 낱말을 이어서 말하는 놀이

④ 앞 친구의 말을 반복하고 새로운 말을 덧붙이는 놀이

⑤ 앞 낱말의 끝 글자로 시작하는 낱말을 이어서 말하는 놀이

22 위와 같은 방법으로 말놀이를 할 때 다음 빈칸에 들어갈 알맞은 낱말은? ·····( )

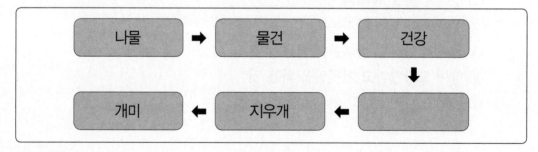

① 지갑

② 운동

③ 강아지

④ 개구리

⑤ 나뭇가지

23 ㉠ 과 ㉡ 에 들어갈 낱말이 알맞게 짝 지어진 것은? ·········( )

> • 동생은 나보다 키가 [㉠].
> • 나는 언니보다 용돈이 [㉡].

	㉠	㉡
①	작다	적다
②	작다	작다
③	적다	작다
④	적다	적다
⑤	잘다	작다

24 다음 밑줄 그은 흉내 내는 말이 알맞지 <u>않은</u> 것은? ·········( )

> 우리 가족은 공원에 갔다. 단풍이 ①<u>울긋불긋</u> 예쁘게 물들어 있고 꽃들이 바람에 ②<u>살랑살랑</u> 흔들렸다. 고추잠자리가 ③<u>윙윙</u> 날아다니고 우리 강아지도 신이 나서 ④<u>폴짝폴짝</u> 짖었다. 동생도 ⑤<u>깔깔</u> 웃으며 이리저리 뛰어다녔다.

25 다음 글에서 밑줄 그은 낱말을 바르게 고쳐 쓴 것으로 알맞지 <u>않은</u> 것은? …(   )

> 수업이 끝나고 집으로 돌아오니 엄마께서 라면을 ㉠<u>끄려</u> 주신다고 하셨다. 나는 식탁에 ㉡<u>안자서</u> 책을 ㉢<u>일그며</u> 기다렸다. 잠시 후 엄마께서 라면과 김치를 함께 주셨다. 나는 김치는 먹기 ㉣<u>실타고</u> 했지만 엄마께서는 같이 먹어야 맛있다고 하셨다. 라면을 다 먹고 엄마와 공원으로 산책을 갔다. 날씨가 좋아서 사람이 ㉤<u>마니</u> 있었다.

① ㉠끄려 → 끓여
② ㉡안자서 → 앉자서
③ ㉢일그며 → 읽으며
④ ㉣실타고 → 싫다고
⑤ ㉤마니 → 많이

26 다음 중 띄어 읽어야 할 부분은? ……………………………………………………(   )

> 봄이 되면 농부들은 논에①물을②대고 벼를 심습니다. 벼는 물속에서 뿌리를 내리고③자랍니다.④벼는 여름내 햇볕을 받으며 자라다가 가을에는 누렇게 변하면서 익습니다. 익은⑤벼는 이삭이 축 늘어집니다.

27 다음 빈칸에 들어갈 문장 부호의 이름은? ⋯⋯⋯⋯⋯⋯⋯⋯⋯⋯⋯⋯⋯⋯⋯⋯⋯⋯⋯ (   )

내 생일날 우리 집에서 친구들과 함께 생일잔치를 하였습니다. 친구들은 생일 축하 노래를 불러 주었고 나는 촛불을 끄고 소원도 빌었습니다.

"주혜야, 생일 축하해!"

정민이가 나에게 포장되어 있는 작은 상자를 내밀었습니다.

☐ 무엇이 들어 있을까? ☐

나는 마음속으로 생각했습니다.

① 마침표   ② 물음표

③ 느낌표   ④ 큰따옴표

⑤ 작은따옴표

28 다음 여정이의 일기를 보고 고쳐 쓰는 방법을 알맞게 말한 것은? ·············· (   )

> ### 새 친구 단풍이
>
> 20○○년 ○○월 ○○일 금요일
>
> 물고기를 샀다. 물고기에 '단풍'이라는 이름을 지어 주었다. 물고기가 단풍처럼 빨갛기 때문이다. 이제부터 날마다 단풍이에게 먹이도 주고, 단풍이와 이야기도 하면서 사이좋게 지낼 것이다.

① 날씨를 써야 한다.
② 높임말로 써야 한다.
③ 상상한 내용을 재미있게 꾸며 써야 한다.
④ 있었던 일이 잘 드러나지 않게 써야 한다.
⑤ 자신이 잘못한 내용이 잘 드러나게 써야 한다.

29 친구에게 마음을 전하는 쪽지 글을 쓰려고 합니다. 빈칸에 들어갈 표현으로 가장 알맞은 것은? ·· (   )

> 민석아, 그림 그리는 연습을 많이 하더니 교내 그림 그리기 대회에서 상을 받았구나. _____

① 정말 축하해.
② 운이 좋았어.
③ 잘난 척 좀 그만해.
④ 더 열심히 노력해야겠구나.
⑤ 내가 더 잘 그렸는데 안타까워.

30 지우개에 대하여 설명하는 글을 쓸 때 빈칸에 들어갈 내용으로 알맞은 것은?

.... (　　)

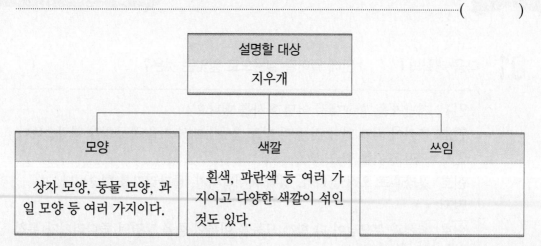

① 동네 문구점에서 살 수 있다.
② 연필로 쓴 것을 지울 때 사용한다.
③ 내가 쓰는 지우개는 짝에게 선물 받은 것이다.
④ 아주 작은 것부터 큰 것까지 여러 가지가 있다.
⑤ 이름을 써 놓으면 잃어버렸을 때 주인을 쉽게 찾을 수 있다.

실전 모의고사 3회

01 다음 대화의 (　　) 안에 들어갈 질문으로 알맞은 것은? ·········· (　　　)

> 민지: 지난가을, 학교에서 어떤 행사를 했나요?
> 현호: 추석이 되기 얼마 전 우리 학교 운동장에서 가을 운동회가 열렸습니다.
> 민지: 어떤 경기를 했습니까?
> 현호: 훌라후프 오래 돌리기, 청백 이어달리기, 줄다리기를 했습니다.
> 민지: (　　　　　　　　　　　　　　　　)
> 현호: 학생과 부모님이 다 함께 모둠을 이루어 줄을 당겼던 줄다리기가 무척 신이
> 　　　 났습니다.

① 운동회에는 누가 참여했나요?
② 어떤 경기가 가장 재미있었나요?
③ 줄다리기는 어떻게 하는 운동인가요?
④ 가장 힘들었던 경기는 무엇이었나요?
⑤ 청군과 백군 중에서 어느 팀이 이겼나요?

02 밑줄 그은 말과 바꾸어 쓸 수 있는 말로 가장 알맞은 것은? ·········· (　　　)

> 소년은 풀밭에 벌렁 드러누워 <u>한가로이</u> 풀을 뜯는 양 떼를 보았어요.

① 혼자 　　　　　　　　　　② 조용히
③ 한가득 　　　　　　　　　④ 분주하게
⑤ 여유롭게

[03~04] 다음 대화를 읽고 물음에 답하시오.

> 은효: 민재야, 쉬는 시간이어도 교실에서는 뛰면 안 돼.
>
> 민재: 왜? 친구들이랑 놀다 보면 뛰어다닐 수도 있지.
>
> 은효: 교실에서 뛰면 다칠 수 있거든. 책상이나 의자에 부딪칠 수도 있고 미끄러운 교실 바닥에서 넘어질 수도 있어.
>
> 민재: 아, 얼마 전에 교실에서 뛰다가 넘어져서 건지가 팔을 다쳤지?
>
> 은효: 그래. 그리고 교실에서 뛰면 먼지가 생겨서 건강에도 좋지 않대.
>
> 민재: 네 말이 맞아. 앞으로는 교실에서 뛰지 말아야겠다.
>
> 은효: 그러면 쉬는 시간에 교실에서 무엇을 하면 좋을까?
>
> 민재: 자리에 앉아 독서를 하는 건 어때?
>
> 은효: 좋은 생각이야. 교실에서 뛰지 않으면 서로 다치지도 않고 책을 읽을 때 집중도 잘 되겠다.

03 은효가 민재에게 제안한 것은? ·· (　　　)

① 교실에서 뛰지 말자.

② 쉬는 시간에 독서를 하자.

③ 팔을 다친 친구를 도와주자.

④ 책상과 의자 정리를 스스로 하자.

⑤ 바닥이 미끄럽지 않도록 청소를 잘하자.

04 은효와 대화하는 민재의 태도로 알맞은 것은? ················· (　　　)

① 은효의 말에 무조건 찬성했다.

② 은효가 한 말을 이해하지 못했다.

③ 은효의 말에 건성으로 대답하였다.

④ 은효의 말이 억지라고 생각하였다.

⑤ 은효와 대화하면서 생각을 바꾸었다.

[05~06] 다음 글을 읽고 물음에 답하시오.

> 호랑나비는 노란색 바탕에 그어진 검은 줄무늬가 호랑이의 검은 가로줄 무늬를 닮았기 때문에 붙은 이름이에요. 알에서 깨어나 화려한 나비로 변신하는 호랑나비의 한살이를 따라가 볼까요㉮
>
> 봄에 짝짓기를 한 호랑나비 암컷은 알을 낳을 나무를 찾기 시작해요. 앞으로 애벌레가 먹고 자랄 나뭇잎에 알을 낳아야 하기 때문이지요. 나무를 찾은 암컷은 알을 한군데에 낳지 않아요. 여기저기 옮겨 다니며 100여 개의 알을 낳는답니다. 이렇게 알을 다 낳은 암컷은 얼마 후에 죽어요.
>
> 암컷이 알을 낳은 지 일주일이 지나면 알에서 애벌레가 깨어나요. 알에서 나온 애벌레는 가장 먼저 자신의 알껍데기부터 먹어치운답니다. 애벌레는 몸이 커지면서 여러 번 허물을 벗어요. 애벌레는 다 자라 번데기가 될 때까지 보통 네 번 정도 허물을 벗어요.
>
> 허물을 네 번 벗은 애벌레는 번데기가 되기 위한 장소를 찾아요. 배 끝을 나뭇가지에 붙이고, 입에서 실을 뽑아 나뭇가지에 걸어요. 그리고 실을 몸 한가운데 둘러 단단히 묶지요. 애벌레가 번데기가 된 후 20일 정도가 지나면 아름다운 호랑나비로 다시 태어난답니다.

05 다음 설명을 참고할 때 ㉮에 들어갈 문장 부호로 알맞은 것은? ·····( )

> 묻는 문장 끝에 쓴다.

① ,   ② .   ③ !   ④ ?   ⑤ "

06 이 글을 읽고 다음 호랑나비의 한살이를 차례대로 정리한 것은? ·····( )

> ㉠ 알에서 애벌레가 나온다.
> ㉡ 번데기에서 호랑나비가 나온다.
> ㉢ 애벌레가 자라면서 허물을 벗는다.
> ㉣ 호랑나비 암컷이 나뭇잎에 알을 낳는다.
> ㉤ 애벌레가 몸을 나뭇가지에 묶고 번데기가 된다.

① ㉠ – ㉢ – ㉣ – ㉤ – ㉡   ② ㉠ – ㉣ – ㉢ – ㉤ – ㉡
③ ㉣ – ㉠ – ㉢ – ㉤ – ㉡   ④ ㉣ – ㉤ – ㉠ – ㉡ – ㉢
⑤ ㉤ – ㉣ – ㉢ – ㉡ – ㉠

07 다음 문장의 ㉠~㉢에 들어갈 글자를 I 보기 I에서 차례대로 고른 것은? ……(   )

> 누나는 울고 있는 고양이를 가슴에 ㉠고 의자에 ㉡았습니다. 고양이는 더 이
> 상 울지 ㉢았습니다.

┤보기├
| 안   앉   않   알 |

① 안, 앉, 않   ② 안, 않, 앉
③ 안, 앉, 안   ④ 알, 않, 앉
⑤ 앉, 알, 않

08 다음 편지를 쓴 목적으로 알맞은 것은? ……………………………………(   )

> 성태에게
>   성태야, 전학을 와서 많이 낯설었는데 네가 친절하게 가르쳐 주어서 고마워. 그
> 리고 문방구의 위치를 알지 못하여 힘들어하고 있을 때, 네가 문방구까지 같이 가
> 주어서 정말 고마웠어.
>   너의 친절한 마음을 잊어버리지 않고 꼭 기억할게. 앞으로도 친하게 지내자.
>   너의 친구 준성이가

① 학교에 함께 갈 수 있는지 물어보려고
② 전학을 가게 되어 아쉬운 마음을 전하려고
③ 자신을 도와준 친구에게 고마움을 전하려고
④ 자신과의 추억을 잊어버리지 말라고 부탁하려고
⑤ 힘든 점이 있으면 자신이 도와주겠다고 말하려고

09 다음에서 설명한 내용에 알맞은 장면은? ·· (   )

> 이것은 9명으로 이루어진 두 팀이 겨루는 운동입니다. 이 운동을 할 때는 공, 방망이, 장갑이 꼭 필요합니다. 두 팀이 공격과 수비를 번갈아 하며, 상대 선수가 던진 공을 방망이로 치고 경기장을 돌아 점수를 냅니다.

①  ②  ③

④  ⑤

10 다음 글의 제목으로 가장 알맞은 것은? ·· (   )

> 제목 : _____
>
> 횡단보도 앞에 도착하면 먼저 노란선 안쪽에 멈추어 섭니다. 신호등 불이 **빨간**색이면 그 자리에 서서 잠시 기다립니다. 신호등이 초록불로 바뀌면 왼쪽, 오른쪽을 살펴봅니다. 횡단보도 오른쪽에서 운전자를 보며 왼손을 듭니다. 차가 멈추었는지 확인합니다. 차가 모두 멈추어 있으면 운전자와 눈을 맞추며 길을 건넙니다.

① 왼쪽과 오른쪽
② 차례를 지키자
③ 안전하게 건너요
④ 자동차는 위험해요
⑤ 신호등은 무슨 색일까?

11 다음 글을 읽고 알 수 있는 내용으로 알맞은 것은? ──────── (②)

> 떡은 우리나라의 대표적인 음식입니다. 우리나라 사람들은 축하할 일이 있거나 중요한 행사가 있으면 꼭 떡을 준비합니다.
>
> 아기가 태어나서 백일을 맞으면 백설기를 합니다. 쌀가루를 쪄서 만든 백설기는 눈처럼 흰색을 띱니다. 우리 조상들은 아기가 별 탈 없이 건강하게 자라기를 바라는 마음을 담아 백설기를 만들었습니다.
>
> 시루떡은 하얀 쌀과 붉은색의 팥이 어우러져 있습니다. 옛날 사람들을 귀신이나 도깨비가 붉은색을 싫어한다고 믿었습니다. 그래서 이사를 하거나 큰일을 시작할 때면 시루떡을 하여 이웃과 나누어 먹었습니다.
>
> 설날에는 떡국을 먹으며 한 해의 건강을 빌었습니다. 반죽한 쌀가루를 쪄서 둥글고 가늘게 뽑아낸 흰 가래떡을 얇게 썰어서 떡국을 끓입니다. 우리 조상은 떡국을 먹어야 비로소 나이를 한 살 더 먹을 수 있다고 생각했습니다.
>
> 송편은 추석을 대표하는 떡입니다. 솔잎을 깔고 떡을 찌기 때문에 송편이라고 합니다. 추석 전날이면 온 가족이 모여 앉아 서로 정답게 이야기를 나누며 송편을 빚었습니다. 사람들은 송편을 빚으며 한 해 동안 거두어들인 농작물에 대해 감사하는 마음을 담았습니다.

① 추석 전날 솔잎을 넣어 송편을 만든다.
② 조상들은 떡국을 먹으면 젊어진다고 믿었다.
③ 백설기는 아기를 낳은 엄마를 위해 만들었다.
④ 송편에는 비가 내리기를 바라는 마음이 담겨 있다.
⑤ 옛날에는 팥으로 귀신이나 도깨비를 쫓을 수 있다고 생각했다.

12 다음 중 바르게 표현한 문장은? ··· (   )

① 옷에 초콜릿이 묻었습니다.

② 수수께끼의 답을 마치지 못했습니다.

③ 우리는 형제이지만 성격이 틀립니다.

④ 에어컨을 켰더니 방이 금새 시원해졌습니다.

⑤ 이 아이스크림은 여러 가지 맛이 섞여 있습니다.

13 다음 글의 ⬚ ㉠ ⬚ 에 들어갈 문장으로 가장 알맞은 것은? ··············· (   )

> | ㉠ | 그중에는 동물의 모양에 빗댄 것이 있습니다. 갓난아이가 두 팔을 머리 위로 벌리고 자는 잠을 '나비잠'이라고 합니다. 깊이 잠든 사랑스러운 아기의 모습과 귀엽고 예쁜 나비가 잘 어울립니다. 또, 새우처럼 등을 구부리고 자는 잠을 '새우잠'이라고 합니다. 옆으로 누워서 불편하게 자는 모습이 새우와 비슷하여 붙은 이름입니다.
> 　식물이나 사물의 특징을 따서 이름을 붙인 말도 있습니다. '꽃잠'은 세상모르게 아주 깊이 든 잠을 말합니다. 비좁은 방에서 여럿이 자면 똑바로 눕기 어렵겠지요? 이럴 때 몸을 옆으로 세워 불편하게 자는 잠을 '칼잠'이라고 합니다.

① 사람은 누구나 잠을 잡니다.

② 한글은 세종 대왕이 만들었습니다.

③ 우리나라에는 여러 가지 동물이 삽니다.

④ 동물들은 서로 다른 모습으로 잠을 잡니다.

⑤ 우리말에는 잠을 가리키는 재미있는 말이 많습니다.

14 다음 글을 읽고 떠올린 생각으로 알맞은 것은? ································· (   )

지구에서 누가 가장 먼저 우주에 갔을까요? 여러분은 그 주인공이 누구라고 생각하나요? 지구에서 가장 먼저 우주에 간 주인공은 놀랍게도 사람이 아니라 '라이카'라는 이름의 강아지입니다.

사람들은 우주가 어떤 모습이고, 우주에 무엇이 있는지 궁금해하였습니다. 그래서 우주에 갈 수 있는 여러 가지 방법을 생각하였습니다.

러시아에서는 사람을 보내어 우주를 탐사할 계획을 세웠습니다. 하지만 막상 우주에 가려고 하니까 겁이 났습니다. 우주에 어떤 위험이 있을지 몰랐기 때문입니다.

그래서 과학자들은 실험용 동물을 보내기로 하였습니다. 그때 선택된 동물이 바로 강아지 라이카입니다. 이렇게 하여 라이카는 지구에서 처음으로 우주에 가게 되었습니다.

라이카는 비록 살아 돌아오지는 못하였지만, 우주에서도 생명체가 살 수 있다는 것을 보여 주었습니다. 사람들은 라이카를 기억하기 위하여 동상을 세우고 지금까지도 라이카에 대한 고마움을 잊지 않고 있습니다.

① 강아지만이 우주에서 살아남았구나.

② 강아지 라이카는 실험용 동물이었구나.

③ 사람들은 우주에 관심이 전혀 없었구나.

④ 사람들은 라이카가 한 일을 알지 못하는구나.

⑤ 지구에서 가장 먼저 우주에 간 것은 미국 사람이구나.

15 다음 글의 중심 글감으로 알맞은 것은? ⋯⋯⋯⋯⋯⋯⋯⋯⋯⋯⋯⋯ (   )

설날은 음력 1월 1일을 말해요. 새로운 해를 맞이하는 첫날이지요. 설날이 되면 온 가족이 한자리에 모여요. 오랜만에 만난 가족은 도란도란 이야기를 나누며 여러 가지 놀이를 즐겼어요.

설날에 가장 많이 하는 놀이는 '윷놀이'예요. 윷놀이는 노는 방법이 쉬워서 누구나 즐길 수 있어요. 나무를 깎아 만든 윷가락은 한쪽은 둥그스름하고, 다른 한쪽은

평평해요. 윷가락 네 개를 던져서 하나가 젖혀지면 도, 둘이 젖혀지면 개, 셋이 젖혀지면 걸, 넷이 젖혀지면 윷, 그리고 모두 엎어지면 모가 되지요. 도, 개, 걸, 윷, 모에 따라 윷판의 말을 한 칸부터 다섯 칸까지 움직여서, 윷판을 먼저 한 바퀴 돌아 나오는 편이 이기는 거예요.

설날에는 연날리기도 많이 해요. 연날리기는 누구나 함께 즐길 수 있는 놀이예요. 찬 바람이 부는 언덕에 올라 실을 맨 연을 날리면 하늘 높은 곳까지 날아올라요. 그러면 날아가는 연을 보며 저마다 한두 가지씩 새해의 소망을 빌지요. 연을 날리다 일부러 연줄을 끊어 버리기도 하는데, 그것은 나쁜 기운을 연과 함께 멀리멀리 날려 버리려는 거예요. 또 연싸움을 하기도 해요. 연을 날리면서 서로의 연줄을 마주 걸어 비비거나 당겨서 상대의 연줄을 먼저 끊으면 이기는 거예요.

① 설날에 하는 놀이
② 연을 만드는 방법
③ 윷놀이를 만든 사람
④ 새해 첫날에 하는 일
⑤ 세계 여러 나라의 명절

16 다음 안내문을 잘못 이해한 사람은? ··· (   )

> ### 현장 체험 학습 안내문
> • 대상: 1학년 어린이
> • 출발 시간과 장소: 12월 20일 금요일 9시, 학교 운동장
> • 준비물: 두꺼운 외투, 도시락, 물, 간식, 장갑, 비닐봉지 등
> • 주의할 점
>   – 버스 안에서는 안전띠를 맵니다.
>   – 눈썰매장에서 뛰어다니지 않습니다.
>   – 함부로 쓰레기를 버리지 않습니다.

① 새롬: 1학년 학생만 체험 학습을 가나 봐.
② 명준: 버스를 타면 반드시 안전띠를 매야 해.
③ 제희: 과자나 음료수는 가져가면 안 되는 것 같아.
④ 백현: 이번 현장 체험 학습 장소는 눈썰매장이구나.
⑤ 영석: 체험 학습을 가려면 9시까지 학교 운동장에 모여야 해.

17 밑줄 그은 낱말과 성격이 같은 낱말은? ·· (   )

> 나비가 <u>팔랑팔랑</u> 머리 위를 맴돌아요.

① 달그락   ② 우당탕
③ 개굴개굴   ④ 엉금엉금
⑤ 아삭아삭

[18~19] 다음 글을 읽고 물음에 답하시오.

어느 날, 샘이 많은 바람이 해를 찾아왔어요.

 ㉠이봐, 세상에서 누가 가장 힘이 센 줄 알아?

 누군데?

 바로 나, 바람이야!

 정말 그럴까?

그때 마침 한 나그네가 길을 가고 있었어요.

 좋아, 그럼 우리 누가 더 센지 겨루어 볼까?

 어떻게?

 저 나그네의 외투를 먼저 벗기면 이기는 것으로 하자.

 좋아, 어디 한번 해 봐.

바람은 나그네를 향해 힘껏 입김을 불었어요.

 후후!

 왜 이렇게 날씨가 추워졌지?

 후후! 훅! 후후!

 어휴, 추워! 옷을 좀 더 단단히 여며야겠군.

 헉, 헉! 어휴, 힘들어. 더는 못 하겠다.

지쳐 버린 바람이 물러서자 해가 나섰어요.

 자, 이제 내가 하는 것을 잘 봐.

 어? 아까는 춥더니 이제는 또 더워지네.

 자, 좀 더 세게 비추어 볼까?

18 역할극을 할 때 ㉠에 가장 어울리는 목소리는? ·· (   )

① 쓸쓸한 목소리
② 점잖은 목소리
③ 미안해하는 목소리
④ 잘난 체하는 목소리
⑤ 귀찮은 듯한 목소리

19 이 글의 뒤에 이어질 내용으로 가장 알맞은 것은? ······························· (   )

① 해가 내기에서 지게 된다.
② 해와 바람이 화해를 한다.
③ 하늘에서 빗방울이 떨어진다.
④ 나그네가 땀을 흘리며 외투를 벗는다.
⑤ 바람이 나그네의 외투를 날려 버린다.

20 | 보기 |에서 짝 지은 낱말의 관계로 보아 [   ]에 들어갈 낱말로 알맞은 것은? (   )

┤ 보기 ├
계절 – 봄	과일 – 사과
개 – 푸들	채소 – [ ]

① 뱀   ② 오이
③ 오렌지   ④ 진달래
⑤ 단풍나무

21 다음 시의 제목을 '저녁'으로 바꾸어 썼습니다. 바꾸어 쓴 표현이 어색한 것은?

(   )

아침

김상련

뚜, 뚜.
나팔꽃이 일어나래요.

똑, 똑.
아침 이슬이 세수하래요.

방긋, 방긋.
아침 해가 노래하재요.

---

①	주룩, 주룩. 저녁놀이 집에 가래요.
②	살랑, 살랑. 나뭇잎이 인사해요.
③	깜빡, 깜빡. 별들이 어서 자래요.
④	솨, 솨. 바람이 자장가를 불러 준대요.
⑤	둥실, 둥실. 보름달이 좋은 꿈을 꾸래요.

곰이 골짜기에서 가재를 잡고 있었습니다. 꾀 많은 여우가 슬금슬금 다가갑니다.

"곰아, 저 나무에 있는 꿀을 따서 나누어 먹지 않을래?"

곰이 여우의 뒤를 성큼성큼 따라갑니다.

'헤헤, 맛있겠다. 나 혼자 먹어야지.'

여우가 꾀를 냅니다.

"곰아, 네가 나무 위로 올라가 벌집을 따서 던져. 그러면 내가 받을게."

곰이 나무 위로 올라가 벌집을 따서 아래로 던집니다.

여우가 벌집을 받아 들고는 빠르게 도망칩니다. 벌들이 여우를 왱왱 쫓아가며 침을 쏘아 댑니다. ⓐ 아픈 여우가 ⓑ 소리 내어 웁니다.

– 「곰과 여우」 안선모

22 이 이야기의 여우에게 해 줄 말로 가장 알맞은 것은? ·······(   )

① 지나치게 욕심을 부리면 안 돼.

② 친구가 다쳤을 때는 도와줘야지.

③ 친구에게 말을 함부로 하면 안 돼.

④ 나무에서 장난을 치면 다칠 수도 있어.

⑤ 잘못한 일이 있으면 반드시 사과를 해야 해.

23 ⓐ 과 ⓑ 에 들어갈 흉내 내는 말이 알맞게 짝 지어진 것은? ·····(   )

	ⓐ	ⓑ
①	간질간질	똑똑
②	간질간질	엉엉
③	욱신욱신	헤헤
④	따끔따끔	엉엉
⑤	따끔따끔	깔깔깔

24 다음 이야기를 읽고 내용을 정리했습니다. 잘못 정리한 부분은? ⋯⋯⋯⋯⋯ (   )

토끼와 호랑이

옛날, 어느 날 토끼가 깊은 산속을 지나고 있었어요. 그때 갑자기 호랑이가 나타났어요.

"어흥, 너를 잡아먹어야겠다!"

토끼는 무서웠지만 얼른 꾀를 내었어요.

"호랑이님, 제발 살려 주세요. 그 대신 제가 맛있는 떡을 구워 드릴게요."

호랑이는 떡을 먼저 먹고 난 뒤에 토끼를 잡아먹어야겠다고 생각하였어요.

토끼는 활활 타오르는 불 위에 돌멩이를 올려 구웠어요.

"참, 이 떡은 꿀을 찍어 먹어야 맛있어요. 호랑이님, 꿀을 가져올 테니 잠시만 기다리세요."

토끼는 깡충깡충 뛰어 마을로 내려갔어요.

"어흥, 그것 참 맛있게 생겼군."

배가 고팠던 호랑이는 뜨거운 돌멩이 하나를 집어 꿀꺽 삼켰어요.

"앗, 뜨거워!"

호랑이는 너무 뜨거워서 엉엉 울었어요.

제목: 토끼와 호랑이

① 일이 일어난 때: 옛날, 어느 날

② 일이 일어난 장소: 깊은 산속

③ 등장인물: 토끼, 호랑이

④ 일어난 일: 호랑이가 토끼를 잡아먹었다.

⑤ 주제: 꾀를 내면 위험에서 벗어날 수 있다.

25 다음 그림을 보고 문장을 자세히 쓸 때 내용이 알맞지 <u>않은</u> 것은? ·········(   )

투호 놀이를 하였다.

① 누구와 하였지?	② 친구들과 투호 놀이를 하였다.

↓

③ 언제 하였지?	④ 운동회 때 친구들과 투호 놀이를 하였다.

↓

어디에서 하였지?	⑤ 운동회 때 친구들과 재미있게 투호 놀이를 하였다.

26 다음 중 띄어쓰기가 바르게 된 것은? ························(   )

①	강	아	지		와		고	양	이				
②	궁	금	한	점	을		물	어	봐	요	.		
③	우	리		가	족	은		공	원	에	갔	다	.
④	열	매	가		주	렁	주	렁		달	렸	다	.
⑤	나	는		모	래	를		높	이		쌓	았	다 .

27 다음 글의 ㉠~㉤을 잘못 고쳐 쓴 것은? .... (   )

> 7월 17일 화요일   날씨: 맑음
> 희준이랑 ㉠노리터에서 놀았다. ㉡술래잡끼를 하다가 희준이와 부딪쳤다. 희준이가 ㉢너머져서 울었다.
> "희준아, 미안해."
> "㉣괜차나."
> 우리는 ㉤사이조케 놀았다.

① ㉠노리터 → 놀이터
② ㉡술래잡끼 → 술래잡기
③ ㉢너머져서 → 넘어져서
④ ㉣괜차나 → 괜찮아
⑤ ㉤사이조케 → 사이좋게

28 |보기|의 생각그물을 바탕으로 글을 쓸 때 떠올린 내용과 어울리지 <u>않는</u> 것은? .... (   )

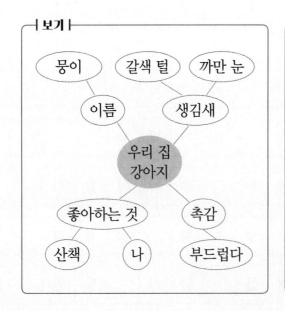

① 우리 집 강아지 이름은 뭉이예요. ② 뭉이는 눈이 까맣고 털이 갈색이에요. ③ 뭉이는 털이 거칠거칠하고 부드러워서 뭉이랑 자면 악몽을 꾸지 않아요. ④ 뭉이는 공원으로 산책 가는 것을 좋아해요. 뭉이와 함께 공원에서 달리기를 하면 기분이 좋아져요. ⑤ 뭉이는 나를 가장 좋아해서 언제나 나를 따라다녀요. 나도 뭉이가 정말 좋아요.

29 | 보기 |의 낱말로 문장을 쓸 때 맨 마지막에 오는 낱말은? ·················· (   )

┌─| 보기 |───┐
│   망가뜨려서   내가   세호의   미안해요   장난감을   │
└───┘

① 내가   ② 세호의   ③ 미안해요
④ 장난감을   ⑤ 망가뜨려서

30 다음 대화 중에서 높임 표현을 바르게 사용한 것은? ····················· (   )

①	할머니: 잘 자렴. 지현: 할머니, 잘 자요.
②	선생님: 조심해서 가렴. 솔이: 안녕히 계세요.
③	어머니: 병원에 다녀올게. 지호: 안녕히 다녀와.
④	아버지: 많이 먹었니? 명은: 잘 먹었어.
⑤	선생님: 앞으로는 조심하렴. 예범: 치료해 주셔서 고마워.

실전 모의고사 4회

[01~02] 다음을 보고 물음에 답하시오.

01 ㉠ 과 ㉡ 에 들어갈 인사말을 알맞게 모은 것은? ⋯⋯⋯⋯⋯⋯⋯⋯⋯⋯ ( )
① ㉠: 조심해. ㉡: 고마워.
② ㉠: 축하해. ㉡: 고마워.
③ ㉠: 축하해. ㉡: 고맙습니다.
④ ㉠: 축하합니다. ㉡: 미안합니다.
⑤ ㉠: 고맙습니다. ㉡: 괜찮습니다.

02 그림 ❸~❹에 대한 설명으로 알맞지 않은 것은? ⋯⋯⋯⋯⋯⋯⋯⋯⋯⋯ ( )
① 예범이와 아저씨는 우연히 만났다.
② 예범이와 아저씨는 서로 모르는 사이이다.
③ 정아가 집에 돌아오신 아버지께 인사하였다.
④ 예범이와 정아는 모두 알맞은 인사말을 사용하였다.
⑤ 정아가 공손하게 인사하여 아버지는 기분이 좋을 것이다.

03 선생님이 말씀하신 내용이 <u>아닌</u> 것은? ·································· (   )

① 돗자리를 챙겨 와야 한다.
② 수목원으로 체험 학습을 간다.
③ 각자가 마실 물도 가져와야 한다.
④ 쓰레기는 비닐봉투에 모아서 버린다.
⑤ 과자는 통에 따로 옮겨 담아 와야 한다.

04 밑줄 친 낱말 중 받침을 <u>잘못</u> 쓴 낱말은? ·································· (   )

> <u>맑은</u> 아침 하늘에 까치가 날아다닙니다. 까치가 <u>굵은</u> 나뭇가지 위에 <u>앉아서</u> 울음소리를 냅니다. 까치의 날개가 <u>햇빗</u>을 받아 예쁘게 <u>빛납니다</u>.

① 맑은   ② 굵은
③ 앉아서   ④ 햇빗
⑤ 빛납니다

[05~06] 다음 글을 읽고 물음에 답하시오.

> 우리 조상들은 아기의 첫 번째 생일에 돌잔치를 했습니다. 돌잔치에서는 맛있는 음식을 차려 나누어 먹고 돌잡이도 했습니다. 돌잡이는 아기가 여러 가지 물건 가운데에서 한두 개를 잡는 것입니다.
>
> 돌잡이상 위에는 쌀, 떡, 책, 붓, 돈, 활, 실 등을 올려놓았습니다. 실을 잡는 아이는 오래 살 것이라고 생각했습니다. 책을 잡는 아이는 공부를 잘하게 될 것이라고 여겼습니다. 또 쌀을 잡는 아이는 부자가 될 것이라고 했습니다.
>
>
>
> 우리 조상들은 돌잔치를 하면서 아기가 건강하고 행복하게 자라기를 바랐습니다.

05 이 글의 내용으로 알맞지 <u>않은</u> 것은? ·································· (   )

① '돌잔치'는 아기의 첫 번째 생일에 한다.

② 돌잔치에서는 맛있는 음식을 차려 나누어 먹는다.

③ 돌잡이상 위에는 여러 가지 종류의 돌을 늘어놓는다.

④ 아기가 건강하고 행복하게 자라기를 바라면서 돌잔치를 하였다.

⑤ 돌잔치에서는 아기가 여러 물건 중 하나를 잡는 '돌잡이'도 하였다.

06 아기가 돌잡이에서 붓을 잡는다면 돌잔치에서 나올 말은? ············· (   )

① 아기가 노래를 잘할 것이다.

② 아기가 큰 부자가 될 것이다.

③ 아기가 운동 선수처럼 튼튼해질 것이다.

④ 아기가 커서 그림을 그리는 일을 할 것이다.

⑤ 아기가 이다음에 커서 훌륭한 군인이 될 것이다.

(가) "상구야, 집에 가면 뭐 할 거야?"

"아침에 못 먹은 바나나부터 먹을 거야!"

재현이는 상구가 정말 먹는 일을 좋아한다고 생각했습니다.

"나는 바나나보다 배가 좋더라."

"배도 좋지! 시원하고 달콤하잖아. 어, 다 왔네. 재현아 잘 가."

"응, 상구야 내일은 너 먼저 가. 나는 좀 늦을 것 같으니 교실에서 보자."

(나)

엄마
상구야, 학교 잘 다녀왔니?
집에 오자마자 손과 발을 깨끗이 씻어야 해. 배가 고프면 식탁 위에 바나나 있으니까 먹어. 먹고 나면 껍질은 꼭 쓰레기통에 잘 버리고. 엄마는 볼일 보고 3시쯤 집에 도착할 거야. 혼자서도 씩씩하게 있을 수 있지?

걱정 마세요.   상구

07 상구가 집에 돌아와서 가장 먼저 해야 할 일은? ·······················(   )

① 숙제하기

② 바나나 먹기

③ 재현이랑 게임하기

④ 바나나 껍질 버리기

⑤ 손과 발 깨끗이 씻기

08 글 (가)~(나)를 읽고 알 수 없는 내용은? ·······················(   )

① 상구는 먹는 일을 좋아한다.

② 상구와 재현이는 같은 반이다.

③ 재현이는 과일 중에 배를 좋아한다.

④ 상구 어머니는 과일 중에 사과를 좋아하신다.

⑤ 상구는 어머니가 돌아오시기 전까지 집에 혼자 있을 것이다.

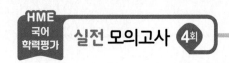

[09~10] 다음을 보고 물음에 답하시오.

> 나무꾼이 산에서 호랑이를 만났어요. 깜짝 놀란 나무꾼은 꾀를 내어 말했어요.
>
> 형님, 여기 계셨군요!
>
> 어찌 내가 네 형님이냐?
>
> 형님은 호랑이 탈을 쓰고 태어나 산으로 보내졌대요.
>
> 그게 정말이냐?
>
> 네, 어머님은 형님이 그리워서 날마다 울고 계세요.
>
> 그래? 내가 어머님께 큰 잘못을 했구나!

09 나무꾼이 호랑이를 만나서 들었을 마음은? ⋯⋯⋯⋯⋯⋯ (   )

① 슬픈 마음
② 반가운 마음
③ 답답한 마음
④ 깜짝 놀란 마음
⑤ 자랑스러운 마음

10 호랑이가 나무꾼의 마지막 말을 듣고 나서 할 일로 가장 알맞은 것은? ⋯⋯ (   )

① 나무꾼을 잡아먹는다.
② 나무꾼의 일을 방해한다.
③ 나무꾼의 어머니를 잡아먹는다.
④ 나무꾼의 어머니에게 효도를 한다.
⑤ 나무꾼을 자신의 아버지에게 데려간다.

[11~12] 다음을 보고 물음에 답하시오.

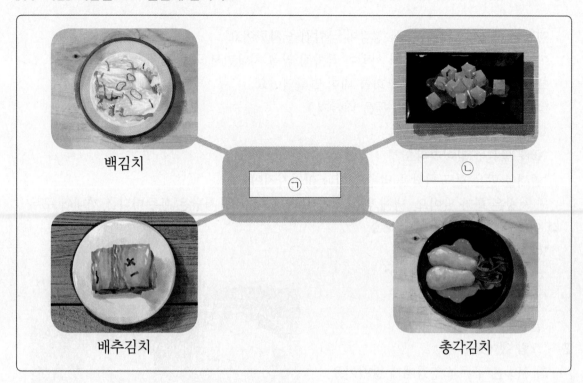

백김치

ⓒ

ⓛ

배추김치

총각김치

11 ⓒ 에 들어갈 낱말로 알맞은 것은? ·······················( )

① 선물   ② 음식

③ 김치   ④ 채소

⑤ 싫어하는 것

12 ⓛ 의 뜻을 사전에서 다음과 같이 찾았습니다. ⓛ 에 들어갈 낱말로 알맞은 것은? ·······················( )

무를 작고 네모나게 썰어서 소금에 절인 후 고춧가루 따위의 양념과 함께 버무려 만든 김치

① 깍뚜기   ② 각두기

③ 깍두기   ④ 각뚜기

⑤ 깍둑이

[13~14] 다음 이야기를 읽고 물음에 답하시오.

옛날에 마음씨 나쁜 구두쇠 영감이 국밥집을 차렸어요.

어느 날, 옆 마을에 사는 최 서방이 국밥집 앞을 지나면서 국밥 냄새를 맡았어요.

그러자 구두쇠 영감은 크게 화를 내며 말하였어요.

"아, 국밥 냄새를 맡았으면 돈을 내야지."

최 서방은 기가 막혔어요.

"냄새 맡은 ㉠값이라니요?"

"냄새를 맡은 것도 국밥을 먹은 것이나 마찬가지야."

최 서방은 화가 났어요. 냄새 맡은 값을 내라고 해서 최 서방은 돈주머니를 꺼내어 구두쇠 영감의 귀에 대고 흔들었어요.

"이 소리가 들리지요?"

"이것은 엽전 소리 아닌가?"

"분명히 들었지요?"

"틀림없이 들었네."

"그럼 됐어요."

최 서방은 구두쇠 영감에게 말했어요.

"엽전 소리를 들었으니 돈을 받은 것이나 마찬가지예요."

"아니, 뭐라고?"

구두쇠 영감은 창피해서 얼굴이 빨개졌어요.

13 이야기의 끝부분에서 구두쇠 영감이 들었을 마음은? ·········(   )

① 상쾌하다.   ② 신기하다.

③ 부끄럽다.   ④ 억울하다.

⑤ 자랑스럽다.

14 ㉠을 알맞게 소리 내어 읽은 것은? ·········(   )

① [갑씨란요]   ② [가비라녀]

③ [가비라니요]   ④ [갑시라니여]

⑤ [갑씨라니요]

> 기다리던 토요일 아침이다. 우리 가족은 놀이공원으로 출발했다. 회전목마를 탈 생각을 하니 마음이 설렜다.
>
> 사람들이 서 있는 줄이 길어도 회전목마를 탈 생각에 신이 났다. 드디어 회전목마를 탈 차례가 되었다. 어머니와 나는 말 등에 타고, 동생과 아버지는 마차에 탔다. 처음에는 말이 오르락내리락 움직이는 게 조금 무서웠다. 하지만 시간이 지나니 무섭지 않고 재미있었다.
>
> 솜사탕을 먹고 있는 친구들이 [㉎]. 내 마음을 아셨는지 어머니께서 솜사탕을 사 주셨다. 공룡 모양의 솜사탕이 달콤했다.

15 ㉠~㉣을 글쓴이가 겪은 일의 순서에 맞게 늘어놓은 것은? ··············( )

> ㉠ 가족과 함께 회전목마를 탐.
> ㉡ 가족이 놀이공원으로 출발함.
> ㉢ 어머니께서 사 주신 솜사탕을 먹음.
> ㉣ 회전목마를 타려고 줄을 서서 기다림.

① ㉠-㉡-㉢-㉣   ② ㉠-㉢-㉡-㉣
③ ㉡-㉠-㉢-㉣   ④ ㉡-㉣-㉠-㉢
⑤ ㉢-㉣-㉠-㉡

16 [㉎]에 들어갈 글쓴이의 마음으로 알맞은 것은? ··············( )

① 고마웠다
② 부러웠다
③ 미안했다
④ 보기 싫었다
⑤ 걱정스러웠다

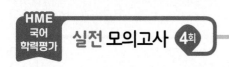

[17~18] 다음 시를 읽고 물음에 답하시오.

아침

김상련

뚜, 뚜.
나팔꽃이 일어나래요.

똑, 똑.
아침 이슬이 세수하래요.

방긋, 방긋.
아침 해가 노래하재요.

17 이 시에 대한 설명으로 알맞지 <u>않은</u> 것은? ······( )

① 1연에서는 '뚜'가 반복된다.
② 2연에서는 '똑'이 반복된다.
③ 3연에서는 '방긋'이 반복된다.
④ 시에 나오는 '나'의 이름은 '나팔꽃'이다.
⑤ '~이 ~래요.'라는 표현이 두 번 나온다.

18 이 시를 읽고 떠오르는 장면으로 알맞은 것은? ······( )

① 함박눈이 펑펑 내리는 모습
② 붉은 저녁노을이 지는 모습
③ 굵은 비가 주룩주룩 내리는 모습
④ 맑은 아침에 햇살이 비치는 모습
⑤ 검은 하늘에 천둥 번개가 치는 모습

19 다음 이야기에서 양치기 소년의 마음이 어떻게 바뀌었는지 알맞게 나타낸 것은?

( )

> 어느 작고 평화로운 마을에 양치기 소년이 살았어요.
> 양치기 소년은 아침마다 양 떼를 몰고 풀밭으로 갔어요.
> 풀밭에 벌렁 드러누워 한가로이 풀을 뜯는 양 떼를 보며 생각했어요.
> '뭐, 재미있는 일 없을까?'
> 소년은 벌떡 일어나 마을 사람들을 향해 큰 소리로 외쳤어요.
> "늑대다! 늑대가 나타났다!"
> 소년의 목소리가 들리자 마을 사람들은 모두 급히 풀밭 위로 뛰어왔어요.
> "아하하하하하!"
> 양치기 소년은 달려온 사람들을 보고 웃었어요. 마을 사람들은 양치기 소년이 거짓말한 것을 알고 화를 내며 돌아갔어요.
> 며칠 뒤, 양치기 소년은 또다시 늑대가 나타났다고 큰 소리로 외쳤어요.
> 이번에도 양치기 소년의 거짓말이라는 것을 안 마을 사람들은 크게 화를 냈어요.
> "또 장난이야? 이젠 네 말을 듣지 않을 테다."
> 그런데 며칠 뒤, 진짜 늑대가 나타났어요.
> 깜짝 놀란 소년은 힘껏 외쳤어요.
> "늑대다! 늑대가 나타났다!"
> 하지만 마을 사람들은 믿지 않았어요.
> "쳇! 거짓말쟁이. 우리가 또 속을 줄 알고?"
> 양치기 소년은 엉엉 울면서 자신의 행동을 후회했어요.

① 고맙다. ➡ 미안하다. ➡ 부끄럽다.
② 재미있다. ➡ 심심하다. ➡ 궁금하다.
③ 심심하다. ➡ 재미있다. ➡ 후회된다.
④ 궁금하다. ➡ 자랑스럽다. ➡ 창피하다.
⑤ 답답하다. ➡ 시원하다. ➡ 자랑스럽다.

20 다음 문장을 완성하려고 합니다. 빈칸에 들어갈 알맞은 말은? ·············· (   )

갈매기 여러 마리가 하늘을 ☐☐☐☐.

① 뿜습니다
② 날아갑니다
③ 뛰어갑니다
④ 걸어갑니다
⑤ 헤엄칩니다

21 띄어쓰기가 **틀린** 문장은? ··· (   )

① | 치 | 킨 | 을 | | 먹 | 고 | | 싶 | 습 | 니 | 다 | . | |

② | 떡 | 볶 | 이 | 를 | | 사 | 러 | 갑 | 니 | 다 | . | | |

③ | 버 | 스 | 를 | | 타 | 고 | | 갑 | 니 | 다 | . | | |

④ | 고 | 추 | 잠 | 자 | 리 | 를 | | 보 | 았 | 습 | 니 | 다 | . |

⑤ | 고 | 양 | 이 | 가 | | 참 | | 귀 | 엽 | 습 | 니 | 다 | . |

22 다음 이야기를 읽고 내용을 알맞게 설명한 친구는? ·································· (   )

> 깊고 깊은 숲속에 옷 만들기를 아주 좋아하는 재봉사가 살았어요.
> 달달달달
> 사각사각
> 스륵스륵
> 조물조물
> 숲속 재봉사는 밤이나 낮이나 쉬지 않고 옷을 만들었어요.
> 이 하늘 저 하늘 새들이 날아와 멋진 옷을 부탁했어요.
> 춤출 때 입을 거예요.
> 깊은 물, 얕은 물 물고기들이 헤엄쳐 와 어여쁜 옷을 졸랐어요.
> 오징어는 무지개 양말에 구두 신고 다리를 뽐낼 거예요.
> 넓은 들판에 사는 크고 큰 동물들과 작고 작은 곤충들도 마음먹은 옷을 이야기했어요.
> 사자는 바람 불면 털이 눈을 가려서 모자가 필요해요.
> 높은 산 낮은 산 동물들도 필요한 옷을 부탁했어요.
> 토끼는 깡충깡충 뛰면 팔랑거리는 치마가 좋아요.
> 그렇게 모두 꿈꿔 왔던 옷을 입어 보았어요.
> 그리고 한바탕 잔치가 벌어졌어요.
>
> 「숲속 재봉사」최향랑

① 숲속 재봉사는 사냥을 잘해요.

② 재봉사는 낮엔 일하고 밤엔 쉬어요.

③ 새들이 재봉사에게 멋진 구두를 부탁했어요.

④ 재봉사가 만든 모자와 치마는 너무 비쌌어요.

⑤ 물고기들이 재봉사에게 어여쁜 옷을 만들어 달라고 했어요.

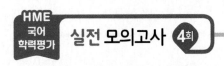

23 ㉮를 읽을 때 어울리는 목소리로 알맞은 것은? ⋯⋯⋯⋯⋯⋯⋯⋯⋯ (　　　)

새 한 마리가 나무에 둥지를 틀고 고운 알을 소복하게 낳아 놓았습니다.

 이 알을 모두 꺼내 가야지.

 지금은 안 됩니다, 착한 도련님. 며칠만 지나면 까 놓을 테니 그때 와서 새끼 새들을 가져가십시오.

 그럼 그러지.

며칠이 지나 새알은 모두 새끼 새가 되었습니다.

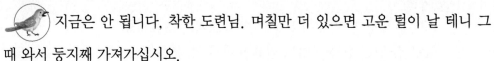 하나, 둘, 셋, 넷, 다섯 마리로구나. 허리춤에 넣어 갈까, 둥지째 떼어 갈까?

지금은 안 됩니다, 착한 도련님. 며칠만 더 있으면 고운 털이 날 테니 그때 와서 둥지째 가져가십시오.

 그럼 그러지.

며칠이 지나서 와 보니, 새는 한 마리도 없고 둥지만 달린 나무가 바람에 울고 있었습니다.

 내가 가져갈 새끼 새가 모두 어디 갔니?

 ㉮누가 아니? 나는 너 때문에 좋은 친구 모두 잃어버렸어. 너 때문에!

「슬퍼하는 나무」 이태준

① 즐거운 목소리
② 반가운 목소리
③ 뽐내는 목소리
④ 울먹이는 목소리
⑤ 부끄러운 목소리

[24~25] 다음 그림을 보고 물음에 답하시오.

24 이 그림을 보고 문장을 잘못 만든 것은? ································ (   )

① 삼촌이 모자를 쓰고 있습니다.
② 파란 자전거를 길에 세웠습니다.
③ 남동생은 세발자전거를 잘 탑니다.
④ 나는 자전거에 인형을 태웠습니다.
⑤ 나는 노란색과 주황색이 섞인 자전거를 탑니다.

25 밑줄 친 낱말 중, 틀린 것은? ································ (   )

① 보라색 모자를 <u>씁니다.</u>
② 분홍색 모자를 <u>썼습니다.</u>
③ 삼촌의 자전거는 <u>파랏습니다.</u>
④ 온 가족이 공원에 <u>놀러</u> 왔습니다.
⑤ 막내도 자전거를 타고 <u>싶다고</u> 합니다.

26 (내)는 선우가 (개)의 상황을 보고 쓴 편지입니다. ㉠을 선우의 생각이 분명히 드러나도록 고쳐 쓴 것은? ⸺⸺⸺⸺⸺⸺⸺⸺⸺⸺⸺⸺⸺⸺⸺⸺⸺ (   )

(나)

　우리 반 친구들에게

　안녕? 나는 한선우야. 오늘 복도에서 어떤 아이들이 다른 아이를 놀리는 것을 보았어. 놀림당한 아이는 참 기분이 나빴을 거야. 만약 친구들이 나를 놀린다면 나도 기분이 좋지 않을 거야. ㉠우리 반 친구들은 서로 놀리지 않고 고운 말만 쓰면 좋을까?

한선우 씀

① 남자 아이들은 분홍색 옷을 입지 말자.
② 다른 반 친구들을 교실에 데려오지 말자.
③ 친구들끼리 놀리지 말고 고운 말을 쓰자.
④ 놀림을 당하면 선생님께 바로 말씀드리자.
⑤ 친구를 놀릴 때에는 아무도 보지 못하게 하자.

27 높임 표현을 잘못 사용한 문장은? ⸺⸺⸺⸺⸺⸺⸺⸺⸺⸺⸺⸺⸺⸺⸺ (   )
① 삼촌, 어디 계세요?
② 할아버지, 밥 잡수세요.
③ 학교에 다녀오겠습니다.
④ 할머니 생신이 언제예요?
⑤ 친척 어른 댁에 다녀왔습니다.

28 |보기|와 같이 나타낼 수 <u>없는</u> 낱말은? ································· (   )

┌─ 보기 ─┐

밤

① 배   ② 눈

③ 차   ④ 다리

⑤ 고양이

29 다음 상황에서 ㉠에 들어갈 말로 알맞은 것은? ················· (   )

① 실수면 다야?

② 네가 그러면 그렇지.

③ 실수가 아닌 것 같은데?

④ 아, 너무 속상해. 너 저리 가!

⑤ 속상하지만 괜찮아. 다시 만드는 것 도와줄래?

30 다음 그림일기의 고칠 점을 잘못 설명한 것은? ·····································(   )

20○○년 7월 7일 목요일

	나	는		오	늘		아	침	에		일
어	나		밥	을		먹	고		학	교	에
가	서		공	부	를		했	다	.		그	리
고		집	에		와	서		숙	제	를	
하	고		잤	다	.						

① 날씨를 빠뜨렸으므로, 날씨를 써넣는다.
② 틀린 글자가 있으므로 알맞은 글자로 고쳐 쓴다.
③ 기억에 남는 일이 잘 나타나도록 그림을 고쳐서 그린다.
④ 일어난 일만 썼으므로 그 일에 대한 생각이나 느낌도 쓴다.
⑤ 하루에 일어난 모든 일을 썼으므로 기억에 남는 일만 쓴다.

#차원이_다른_클라쓰
#강의전문교재
#초등교재

수학교재

● **수학리더 시리즈**
- 개념 수학리더   1~6학년/학기별
- 기본 수학리더   1~6학년/학기별
- 응용 수학리더   1~6학년/학기별

● **닥터유형**   1~6학년/학기별

● **수학도 독해가 힘이다**   1~6학년/학기별

● **수학의 힘 시리즈**
- 실력 수학의 힘(알파)   3~6학년/학기별
- 유형 수학의 힘(베타)   1~6학년/학기별
- 최상위 수학의 힘(감마)   1~6학년/학기별

● **Go! 매쓰 시리즈**
- Go! 매쓰(Start) *교과서 개념   3~6학년/학기별
- Go! 매쓰(Run A/B/C) *교과서+사고력   1~6학년/학기별
- Go! 매쓰(Jump) *유형 사고력   1~6학년/학기별

● **계산박사**   1~12단계

전과목교재

● **리더 시리즈**
- 국어   1~6학년/학기별
- 사회   3~6학년/학기별
- 과학   3~6학년/학기별

시험 대비교재

● **해법수학 단원마스터**   1~6학년/학기별

● **HME 수학 학력평가**   1~6학년/상·하반기용

● **HME 국어 학력평가**   1~6학년

HME 국어 학력평가는

매년 전국 단위로 실시하는 국어 학력평가로,
독해, 어휘, 문법 등의 국어 기초 능력과 학년별 국어 학습 성취도를 평가하는
시험입니다. 전국 단위의 평가로 진행되어 학생들의 국어 학습 수준과 성취도를
객관적으로 평가 받을 수 있습니다.

Haebub Measurement and Evaluation of Korean

HME 국어 학력평가

초등

정답과 해설

1 학년

천재교육

정답과 해설
포인트 **4**가지

▶ 혼자서도 이해할 수 있는 친절한 문제 풀이

▶ 헷갈리는 보기는 〈왜 틀렸을까?〉에서 보다 자세히 설명

▶ 유형별 문항을 푸는 요령과 답안 선택 시 주의할 점 제시

▶ 출제 문항에서 꼭 알아야 할 국어 지식과 학습 개념 꼼꼼 정리

HME 국어 학력평가 정답과 풀이 차례

대표 유형 문제

- 듣기·말하기 ·· 2
- 읽기 ··· 3
- 쓰기 ··· 5
- 문법 ··· 6
- 문학 ··· 7
- 어휘 ··· 8

실전 모의고사

- 1회 ··· 9
- 2회 ··· 13
- 3회 ··· 17
- 4회 ··· 21

문항 번호	정답	유형	평가 내용	난이도	제재
1	⑤	사실	대화 상황에서 주제나 이야깃거리 찾기	보통	일상 대화
2	②	사실	대화의 주요 내용 파악하기	보통	일상 대화
3	③	사실	대화의 중요한 내용 찾기	쉬움	일상 대화
4	②	사실	대화의 주요 내용 파악하기	보통	일상 대화
5	③	추론	대화 상황에서 적절한 대답 짐작하기	어려움	경험 대화
6	④	추론	대화 상대의 표정, 몸짓, 말투 짐작하기	보통	전화 대화
7	④	생성·조직	적절한 내용을 떠올려 소개하는 말 하기	보통	메모
8	①	생성·조직	그림을 보고 정보를 전달하는 말 하기	보통	그림, 표

풀이

1 지수는 학교에서 줄넘기를 잘하지 못한 것 같아서 속상하다고 말하였고 아버지는 줄넘기를 매일 조금씩 연습하자고 말하였습니다.

2 학교에서 줄넘기 시합이 있었던 것은 아니고 줄넘기 연습을 하였습니다. 지수와 아버지는 함께 줄넘기 연습을 하기로 하였습니다.

3 어머니는 동화에게 왜 깨끗이 씻고 자야 하는지에 대해 알려 주셨습니다.

4 나쁜 병균들이 우리 몸에 달라붙어 있다고 하셨고, 이를 비누칠을 해서 깨끗하게 씻어 내야 병에 걸리지 않는다고 하였습니다.

5 "수정이는 재미있게 봤다고 하던데."를 통해서 지수는 영화를 재미있게 보지 못했다는 것을 짐작할 수 있고, "수정이는 무서운 영화도 잘 보는구나."를 통해 지수가 본 영화가 무서운 영화였음을 알 수 있습니다.

6 할머니께서 호영이가 좋아하는 파인애플을 사 간다는 말에 호영이는 기쁜 마음으로 소리쳤을 것입니다.

7 "태권도는 우리 민족 고유의 무술이거나~"에서 '무술이거나'를 '무술이고'로 고쳐 말하는 것이 자연스럽습니다.

8 표에 있는 그림에서 네 개의 윷이 모두 엎어져 있는 것이 '모'임을 알 수 있습니다.

평가 개념과 도움말

1 대화의 **주제**나 **이야깃거리**가 무엇인지 묻는 문제는 대화 상대가 무엇을 물어보았는지, 무엇에 대해 대답하였는지를 살펴봅니다.

4 중요한 내용 요약하기

나쁜 병균들이 땀과 함께 우리 몸에 달라붙어 있다.

▼

이런 병균들은 언제든지 몸속으로 들어갈 수 있다.

▼

그러니까 비누칠을 해서 병균들을 깨끗이 씻어야 한다.

대표 유형 문제 | 읽기

교재 | 16 ～ 21쪽

문항 번호	정답	유형	평가 내용	난이도	제재
1	⑤	내용 확인	도표 및 자료의 내용 파악하기	쉬움	시간표
2	⑤	내용 확인	도표 및 자료의 내용 파악하기	보통	시간표
3	②	내용 확인	도표 및 자료의 내용 파악하기	쉬움	시간표
4	③	내용 확인	설명하는 글을 읽고 중심 내용 파악하기	보통	정보를 주는 글
5	④	내용 확인	설명하는 글의 내용 파악하기	보통	정보를 주는 글
6	①	내용 확인	글 내용을 대표할 수 있는 제목 찾기	보통	정보를 주는 글
7	⑤	내용 확인	설명하는 글을 읽고 필요한 정보 찾기	어려움	정보를 주는 글
8	⑤	내용 확인	글을 읽고 글쓴이의 의견이나 생각 찾기	보통	설득하는 글
9	①	내용 확인	글의 주제와 관련된 속담 찾기	보통	설득하는 글
10	④	추론	글의 흐름을 통해 생략된 내용 짐작하기	어려움	일기
11	③	추론	글의 앞뒤 내용을 통해 낱말의 뜻 짐작하기	보통	일기
12	④	추론	원인과 결과를 통해 이어질 내용 짐작하기	어려움	경험을 나타낸 글
13	④	추론	일어난 일을 통해 인물의 마음 짐작하기	어려움	경험을 나타낸 글

풀이

1 시간표의 세로선은 요일을, 가로선은 교시를 나타냅니다. 시간표의 요일과 교시가 만나는 곳에 있는 과목을 찾아 읽으면 해당 요일과 해당 교시에 공부하는 과목을 알 수 있습니다.

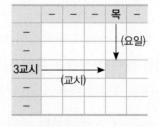

2 시간표에서 수학 과목을 찾아 모두 어느 요일에 들어 있는지 확인합니다. 월, 화, 목, 금요일에 수학 과목이 들어 있습니다.

3 가로줄에서 5교시를 찾아 요일과 이으면 목요일과 금요일에 '여름' 과목이 들어 있는 것을 확인할 수 있습니다.

4 딱지치기의 뜻(다른 사람의 딱지를 따는 놀이), 딱지치기의 다른 이름(때기치기, 땅지치기, 표치기), 딱지치기의 놀이 방법(뒤집기, 쳐 내기) 등에 대해 설명하고 있는 글입니다.

평가 개념과 도움말

1 표 읽기
표의 가로 항목과 세로 항목이 무엇을 나타내는지 확인하고, 가로와 세로가 만나는 곳의 내용을 확인합니다.

3

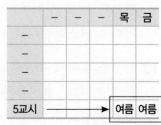

5 딱지치기 방법에는 크게 두 가지(뒤집기, 쳐 내기)가 있고, 상대의 딱지를 따는 놀이입니다. 쳐 내기를 할 때는 원 밖으로 상대의 딱지를 쳐 내서 따먹습니다.

> ┤ 왜 틀렸을까? ├
> ㉠ 딱지치기 방법에는 크게 세 가지가 있다. → 두 가지가 있다.
> ㉢ 딱지치기는 다른 사람과 딱지를 맞바꾸는 놀이이다. → 다른 사람의 딱지를 따는 놀이이다.
> ㉣ 쳐 내기를 할 때는 원 밖으로 자기 딱지를 빨리 빼내어야 한다. → 상대의 딱지를 원 밖으로 쳐 내서 따먹는다.

6 우리나라 고유의 양식으로 지은 집인 한옥이 어떠한 좋은 점을 가지고 있는지 설명한 글이므로 글의 제목은 '한옥의 자랑거리'나 '한옥의 좋은 점'이 어울립니다.

7 흙을 발라 쌓은 벽은 더운 기운과 차가운 기운을 잘 막아 주기 때문에 한옥이 여름이면 시원하고 겨울이면 따뜻하다고 하였습니다.

8 '우리 모두, 작은 것이라도 소중하게 생각하는 마음을 가졌으면 좋겠습니다.'라고 한 문장이 글쓴이의 생각을 잘 드러내고 있습니다.

9 작은 것도 소중히 여기자라는 글쓴이의 생각과 가장 잘 어울리는 속담으로는 '티끌 모아 태산'이 있습니다.

> ┤ 왜 틀렸을까? ├
> ① 작은 것이라도 모이고 모이면 나중에 큰 덩어리가 된다.
> ② 가까이 둔 것을 잊어버리고 엉뚱한 데에 가서 오래도록 찾는다.
> ③ 원인이 없으면 결과가 있을 수 없다.
> ④ 남에게 행동을 좋게 하여야 남도 자기에게 좋게 한다.
> ⑤ 모든 일은 그 원인에 따라 알맞은 결과가 온다.

10 옛날 어린이들은 어떤 놀이를 했는지 아버지께 여쭈어 보았고 아버지는 특히 연날리기와 제기차기를 많이 하셨다고 하였으므로, 그 사이에는 아버지께서 옛날 놀이에 대해 대답한 내용이 들어가야 합니다.

11 연날리기, 윷놀이, 제기차기 등은 모두 옛날부터 즐겨 행해져 오던 놀이라는 공통점이 있습니다.

12 친구들과 다투었던 '내'가 점심시간에는 친구들과 함께 축구를 하였으므로 그 사이에는 친구들과 '내'가 화해하는 내용이 들어가는 것이 자연스럽습니다.

13 친구들과 다시 축구를 하게 된 '나'는 고민이 해결되어 기분이 좋았을 것입니다. 홀가분하고 즐거운 기분을 표현하는 말로는 ④가 가장 어울립니다.

---

5 보기와 글의 내용 비교하기
① 보기를 먼저 읽고 글 내용과 비교합니다.
② 설명하는 내용이 보기의 내용과 일치하는지 비교합니다.
③ 보기의 내용이 글에 없으면 알맞은 것이 아닙니다.

6 글의 제목: 글 전체의 내용을 알 수 있게 짓는 글의 이름.

> 설명하는 글의 경우, 주로 중심 글감을 이용하여 제목을 짓습니다.

8 글쓴이의 생각: '~라고 생각한다', '~해야 한다', '~했으면 좋겠다'와 같이 끝나는 문장에 글쓴이의 생각이 잘 드러납니다.

11 민속놀이: 옛날부터 일반 백성들 사이에 전하여 내려오는 놀이.

대표 유형 문제 쓰기

문항 번호	정답	유형	평가 내용	난이도	제재
1	③	내용 생성	쓸 내용에서 생각이나 느낌 찾기	보통	일기
2	⑤	내용 생성	일기로 쓸 내용으로 알맞은 것 파악하기	쉬움	일기
3	④	내용 조직	글의 짜임에 들어갈 내용 알기	어려움	주장하는 글
4	④	내용 조직	글에 들어갈 내용을 순서대로 짜기	어려움	주장하는 글
5	③	표현·고쳐쓰기	글에 들어갈 알맞은 문장 찾기	보통	정보를 주는 글
6	③	표현·고쳐쓰기	틀린 낱말을 바르게 고쳐쓰기	보통	정보를 주는 글

풀이

1 ①은 한 일이고, ②, ④, ⑤는 보고 듣고 겪은 일입니다.

2 일기는 하루 동안 있었던 일 중에서 가장 기억에 남는 일에 대하여 일의 과정이 잘 드러나게, 그 일에 대한 생각이나 느낌을 구체적으로 쓰는 글입니다. 매일매일 일상적으로 하는 일보다는 가장 기억에 남고 재미있는 일에 대하여 쓰는 것이 좋습니다.

3 글을 쓰기 위해 만든 표에서 글의 제목과 주제를 보면 '나무가 우리에게 주는 도움을 알고 나무를 심고 가꾸기 위해 노력하자.'라는 것을 알 수 있습니다. 수아는 글에서 '나무를 심고 가꾸기 위해 노력하자.'라는 의견을 말하고 싶어 합니다.

┌ 왜 틀렸을까? ├
'나무로 만든 제품을 쓰면 좋다.'는 내용이 구체적이지도 않고, 나무를 심었을 때의 좋은 점도 아닙니다.

4 ⓒ은 문제 상황이므로 글의 처음 부분에, ㉠과 ㉣은 편식의 문제점이므로 가운데 부분에, ⓒ은 글쓴이가 하고 싶은 말이므로 끝부분에 들어가는 것이 알맞습니다.

5 문제에 주어진 글은 필통을 찾아 주기 위해서 쓴 글입니다. 필통의 모습을 사진이나 그림으로 보여 주지 못할 때에는 필통의 특징을 최대한 자세하게 써야 주인을 찾아 주는 데 도움이 됩니다. 그러므로 필통의 모양이나 색과 같은 특징을 구체적으로 쓰는 것이 좋습니다.

6 뜻이 헷갈리는 낱말에 주의해야 하고, 겹받침이 있는 낱말은 겹받침을 정확하게 알아 두는 것이 좋습니다.

평가 개념과 도움말

1 생각이나 느낌을 찾을 때에는 마음을 나타내는 말을 찾아보는 것이 좋습니다.

3 쓸 내용 떠올리기

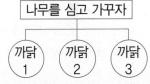

→ 까닭으로 나무가 우리에게 어떤 도움을 주는지 생각해 봅니다.

6 잃어버리다: 가졌던 물건이 자신도 모르게 없어져 그것을 아주 갖지 아니하게 되다.
잊어버리다: 한번 알았던 것을 모두 기억하지 못하거나 전혀 기억하여 내지 못하다.

정답과 풀이

문항 번호	정답	유형	평가 내용	난이도
1	③	문장 · 담화	알맞은 문장 완성하기	보통
2	③	문장 · 담화	알맞은 문장 완성하기	쉬움
3	④	문장 · 담화	띄어쓰기 바르게 하기	보통
4	②	발음 · 표기 · 규범	낱말의 정확한 표기 알기	쉬움
5	④	발음 · 표기 · 규범	낱말의 정확한 표기 알기	보통
6	⑤	발음 · 표기 · 규범	낱말 바르게 고쳐 쓰기	보통
7	②	발음 · 표기 · 규범	알맞은 문장 부호 사용하기	보통
8	①	발음 · 표기 · 규범	알맞은 높임 표현 사용하기	어려움
9	③	발음 · 표기 · 규범	낱말의 정확한 표기 알기	보통

풀이

1 ㉠에는 '누가'에 해당하는 말이나, '친구에게'를 꾸며 주는 말을 넣을 수 있습니다. ㉡에는 '무엇을'에 해당하는 말을 넣으면 문장을 알맞게 완성할 수 있습니다.

2 '강아지가 운동입니다.'는 무슨 뜻을 나타내는지 알 수 없으므로 알맞은 문장이 아닙니다.

3 '떨어 진다'는 '떨어진다'로 붙여 써야 하고, '사탕을준다'는 '사탕을∨준다'로 띄어 써야 합니다. '빨간단풍잎'은 '빨간∨단풍잎'으로 띄어 써야 합니다.

4 '끓다'를 '끌타'로 잘못 쓰지 않도록 주의합니다.

5 '그런대'를 '그런데'로 고쳐 써야 합니다.

6 먼지 등과 같이 더러운 것을 없애기 위해 문지른다는 뜻의 '닦다'로 써야 알맞으므로, '닦아야'로 고쳐 써야 합니다.

7 묻는 문장에는 물음표(?)를 사용합니다.

8 '안녕히 있어요'를 '안녕히 계세요'로 고쳐 써야 합니다.

9 '앉자'는 '앉아'로, '굵어서'는 '굵어서'로, '밟은'은 '밝은'으로, '넒은'은 '넓은'으로 고쳐 써야 알맞습니다.

평가 개념과 도움말

2 알맞은 문장 쓰기

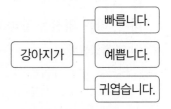

→ 강아지의 움직임이나 상태를 설명하는 말이 들어가야 합니다.

8 알맞은 높임 표현

• 있다 → 계시다
• 먹다 → 잡수시다

대표 유형 문제   문학

문항 번호	정답	유형	평가 내용	난이도	제재
1	⑤	지식	시에 사용된 흉내 내는 말의 의미 파악하기	보통	시
2	⑤	지식	시의 내용 파악하기	어려움	시
3	②	수용과 생산	이야기를 읽고 인물의 모습을 상상하기	보통	이야기
4	②	수용과 생산	이야기를 읽고 생각이나 느낌 말하기	보통	이야기

풀이

1 제시된 시는 직접 팝콘을 만들어 먹은 경험을 나타낸 시로, 3행과 4행의 '탁 타타탁 / 펑펑 펑펑'은 옥수수 알갱이가 냄비 안에서 튀는 모습을 나타낸 표현입니다.

2 유리 뚜껑을 열고 나갈 것처럼 힘이 세지만 입안에 넣으면 아삭아삭 사라라 부드럽다고 하였습니다.

3 이야기를 읽고 인물의 모습을 상상할 때에는 인물이 처한 상황과 인물의 말과 행동을 살펴보아야 합니다. 황소 아저씨는 엄마가 갑자기 돌아가셔서 동생들이 먹을 것을 찾아 나왔다는 생쥐의 말을 듣고 자신의 등을 타 넘고 먹을 것을 가져가라고 배려해 주었습니다. 이때 황소 아저씨는 생쥐가 가엾고 생쥐를 도와주고 싶은 마음이 들었을 것이라고 짐작할 수 있고, 생쥐에게 다정한 목소리로 말하였을 것이라고 상상할 수 있습니다.

┤ 왜 틀렸을까? ├
황소 아저씨는 생쥐의 말을 듣고 "얼른 가져가거라. 동생들이 기다릴테니 내 등을 타 넘고 빨리 가거라."라고 말하였지만 슬퍼했다거나 눈물을 흘렸다는 내용은 나타나 있지 않습니다.

4 문정이가 말한 내용인 황소 아저씨가 화를 냈다는 내용은 나타나 있지 않습니다.

┤ 왜 틀렸을까? ├
① 민서는 생쥐의 처지에 대한 생각이나 느낌을 말하였습니다.
③ 조빈이는 황소 아저씨의 성격에 대한 생각이나 느낌을 말하였습니다
④ 지유는 황소 아저씨의 행동에 대한 생각이나 느낌을 말하였습니다.
⑤ 병욱이는 생쥐의 성격에 대한 생각이나 느낌을 말하였습니다.

평가 개념과 도움말

1 겪은 일을 시로 표현하는 방법
① 겪은 일에 대한 생각이나 느낌이 잘 드러나게 솔직하게 씁니다.
② 긴 문장은 행을 나누어 씁니다.
③ 반복되는 말을 사용하면 리듬감을 나타낼 수 있습니다.

3 이야기를 읽고 인물의 모습과 행동 상상하기
① 이야기 속 인물이 무엇을 하는 장면인지 살펴봅니다.
② 인물의 모습과 행동을 나타낸 부분을 찾아봅니다.
③ 인물의 마음을 생각해 보고 이야기의 장면을 상상해 봅니다.

대표 유형 문제   어휘

교재 | 38 ~ 40쪽

문항 번호	정답	유형	평가 내용	난이도
1	①	개념	문장에 어울리는 흉내 내는 말 찾기	보통
2	⑤	개념	꾸며 주는 말 넣어 문장 완성하기	어려움
3	①	개념	흉내 내는 말을 넣어 문장 만들기	보통
4	②	관계	낱말의 포함 관계 알기	어려움
5	③	관계	반의 관계의 낱말 찾기	보통
6	③	관계	뜻이 비슷한 낱말 이해하기	쉬움
7	③	의미 · 확장	여러 가지 뜻을 가지고 있는 낱말 알기	보통
8	⑤	의미 · 확장	어휘의 뜻 파악하기	보통
9	①	의미 · 확장	상황에 어울리는 낱말 쓰기	쉬움

풀이

1 나비가 날아가는 모습을 흉내 내는 말은 '훨훨'입니다.

2 '미나는'은 꾸며 주는 말이 아닙니다. 꾸며 주는 말을 넣어 문장을 완성하려면 '큰 선물을 받았어요.', '선물을 많이 받았어요.'와 같이 써야 합니다.

3 '주룩주룩'은 굵은 물줄기나 빗물 따위가 빠르게 자꾸 흐르거나 내리는 소리, 또는 모양을 흉내 내는 말입니다.

4 |보기|의 낱말들은 '동물'이 나머지 낱말을 포함하는 관계입니다.

> ┌ **왜 틀렸을까?** ├
> ①과 ⑤의 낱말들은 뜻이 서로 비슷한 유의 관계의 낱말들입니다. ③, ④에는 포함하는 말이 없습니다. ③을 포함하는 낱말은 '가족', ④를 포함하는 낱말은 '학용품'입니다.

5 '많다'와 뜻이 반대인 낱말은 '적다'입니다.

6 '차례' 대신 넣었을 때 자연스러운 낱말을 찾습니다.

7 '쓰다'는 '일기를 쓰다', '모자를 쓰다', '약이 쓰다'와 같이 여러 가지 뜻으로 쓸 수 있습니다.

8 낱말이 쓰이는 상황을 떠올려 그 뜻을 짐작해 봅니다.

9 비교가 되는 두 대상이 서로 같지 않다는 뜻을 나타내는 말은 '틀리다'가 아닌, '다르다'입니다.

평가 개념과 도움말

2 꾸며 주는 말: 뒤에 오는 말을 꾸며 주어 그 뜻을 자세하게 해 주는 말입니다. 흉내 내는 말도 꾸며 주는 말이 될 수 있습니다.

5 반의 관계 낱말
① 낮다 ↔ 높다
② 작다 ↔ 크다
④ 줄다 ↔ 늘다
⑤ 짧다 ↔ 길다

실전 모의고사 **1**회

문항 번호	정답	대영역	중영역	평가 내용	난이도	배점
01	②	듣기·말하기	사실	대화를 읽고 내용 파악하기	쉬움	3점
02	⑤	듣기·말하기	추론	대화에 이어질 내용 짐작하기	보통	3점
03	③	듣기·말하기	생성·조직	일이 일어난 차례 알기	보통	3점
04	④	문법	발음·표기·규범	맞춤법이 바른 낱말 알기	어려움	4점
05	④	읽기	내용 확인	그림의 내용 파악하기	어려움	4점
06	⑤	읽기	내용 확인	글에서 중요한 내용 찾기	어려움	4점
07	③	어휘	개념	흉내 내는 말의 뜻 알기	보통	3점
08	①	읽기	추론	글에 들어갈 알맞은 문장 찾기	보통	3점
09	⑤	문법	발음·표기·규범	소리와 표기가 다른 낱말 알기	어려움	4점
10	⑤	문법	발음·표기·규범	글자의 받침 알기	보통	3점
11	②	읽기	추론	글의 내용 파악하기	보통	3점
12	①	어휘	의미	낱말의 뜻 이해하기	보통	3점
13	⑤	읽기	내용 확인	글의 내용 파악하기	보통	3점
14	②	어휘	관계	의미가 비슷한 낱말 알기	보통	3점
15	④	읽기	추론	글을 읽고 글에 생략된 문장을 알기	어려움	4점
16	③	문법	문장·담화	문장을 구성하는 성분을 분석하고 그 기능을 이해하기	쉬움	3점
17	①	읽기	내용 확인	단서를 바탕으로 내용을 이해하기	보통	3점
18	③	읽기	추론	글에 생략된 사건의 원인을 예측하기	보통	3점
19	③	문법	발음·표기·규범	문장에 따라 알맞은 문장 부호를 사용하기	보통	3점
20	⑤	읽기	추론	인물의 마음 짐작하기	어려움	4점
21	⑤	어휘	의미	낱말의 뜻 알기	어려움	4점
22	②	문학	지식	작품에서 비유적 표현 찾기	어려움	4점
23	②	문법	문장·담화	다양한 문장의 종류를 알기	어려움	4점
24	⑤	문학	수용과 생산	이야기를 읽고 장면을 알맞게 떠올리기	어려움	4점

25	⑤	문학	수용과 생산	일이 일어난 차례 알기	쉬움	3점
26	③	문학	수용과 생산	일이 일어난 장소의 바뀜을 파악하기	보통	3점
27	③	문학	지식	내용에 알맞은 흉내 내는 말 찾기	어려움	3점
28	③	쓰기	내용 생성	글로 쓸 내용을 알맞게 정리하기	쉬움	3점
29	④	쓰기	표현·고쳐쓰기	주변의 사람에 대해 짧은 글 쓰기	보통	3점
30	②	쓰기	표현·고쳐쓰기	틀린 낱말을 바르게 고쳐쓰기	어려움	3점

풀이

01 〈잃어버린 물건 상자〉에 물건이 가득 쌓여 있다는 말에서 반 친구들이 물건을 잃어버려도 찾아가지 않는다는 것을 알 수 있습니다.

02 물건을 잃어버리고도 찾지 않거나 찾아 줄 수 없는 문제 상황을 해결하는 방법의 대화 내용이 알맞습니다.

03 오전 10시: 가족과 함께 공원에 갔다. → 오전 11시: 오빠와 함께 여러 가지 식물을 보았다. → 점심시간: 가족과 함께 점심을 먹었다. → 오후 3시: 친구들과 놀이터에서 놀았다.

04 어려운 모음자나 겹받침이 쓰이는 낱말은 소리 나는 대로 쓰지 않도록 주의하고 글자의 모양을 잘 익혀 두는 것이 좋습니다.

05 사냥꾼이 비둘기에게 총을 쏘려고 했을 때 개미가 사냥꾼의 다리를 물어 사냥꾼은 총을 다른 곳에 쏘게 되었습니다.

06 글쓴이가 전달하려는 정보의 중심 내용을 정확하게 파악합니다.

07 ③에서는 큰 물체나 물방울 따위가 아래로 떨어지는 소리나 모양을 흉내 내는 말인 '뚝'을 써서 '감이 뚝 떨어졌다.'와 같이 표현하는 것이 알맞습니다.

08 민지의 편지 내용은 현수네 집 어미 개가 낳은 강아지를 민지가 데려가서 이름을 복실이라고 지었다는 것입니다. 이 편지를 받은 현수는 복실이가 보고 싶으니까 복실이와 함께 집에 놀러 오라고 답장을 하였습니다. 그러므로 민지의 편지에는 현수에게 복실이가 자란 모습을 보고 싶은지 묻는 내용이 들어가는 것이 알맞습니다.

09 ⑤에는 '틀림없이 꼭.'이라는 뜻의 '반드시'를 쓰는 것이 알맞습니다.

10 낱말 퍼즐을 알맞게 완성하고 ⬭ 한 곳의 글자를 보면 각각 '탕'과 '풍'입니다. 두 글자에 공통으로 쓰인 받침은 'ㅇ'입니다.

평가 개념과 도움말

03 시간의 차례에 따라 한 일을 정리합니다.

05 그림을 보고 일어난 일을 파악하고 일이 일어난 차례도 알 수 있어야 합니다.

07 흉내 내는 말은 모습이나 소리를 흉내 내는 말입니다. 흉내 내는 말을 사용하면 더 자세하게, 느낌을 생생하게 표현할 수 있어서 실감이 납니다.

09 소리는 비슷하지만 뜻이 달라서 헷갈리는 낱말은 맞춤법과 함께 그 뜻을 정확하게 익혀 두는 것이 좋습니다.

11 '음식을 차려 나누어 먹고'라는 말에서 돌잔치에 손님을 초대했다는 것을 알 수 있습니다.

12 '절이다'는 '채소나 생선 따위를 소금기나 식초, 설탕 따위에 담가 간이 배어들게 하다.'라는 뜻입니다.

13 ① 새별오름에 말 목장이 있다는 것은 글 내용에 나타나지 않습니다.
② '비행기 창밖으로 보이는 하늘은 내 마음처럼 파랬다.'라는 말에서 날씨가 맑았다는 것을 알 수 있습니다.
③ '부모님께서 미리 빌려 놓은 차를 타고'에서 자동차를 빌려 타고 여행을 할 것임을 알 수 있습니다.
④ '비행기를 조금 더 타고 싶었는데'라는 말에서 '나'가 비행기 타는 시간을 즐거워했음을 알 수 있습니다.

14 '숨죽이다'는 '숨소리가 들리지 않을 정도로 조용히 하다.'라는 뜻입니다.

15 민들레 씨는 천천히 땅에 떨어지며 멀리 날아갈 수 있습니다. 이런 원리로 낙하산을 이용하면 비행기에서 천천히 내려와서 안전하게 땅에 닿게 되는 것입니다.

16 ③에서 '지현이가 친구가'와 같이 쓰면 '누가'가 두 번 나와서 어색한 문장이 됩니다. 그래서 '지현이와 친구가'와 같이 써야 자연스럽습니다.

17 이름도 쓰임새도 다 다르지만 그중 어떤 것도 최고일 수는 없다고 했고 손가락들은 친구 하자고 했습니다. 이 광고를 통해 나라가 다르고 얼굴이 다르더라도 서로 존중하며 친구로 지내기를 바라는 뜻을 전하고 있습니다.

18 글의 처음 부분을 보면 '내'가 무엇인가를 잃어버려서 찾아다닌다는 것을 알 수 있습니다. 그리고 그 잃어버린 물건이 자전거라는 것을 알 수 있습니다. 그리고 글의 마지막 부분에서 자전거를 잃어버린 장소가 공원 화장실 앞이라는 것을 알 수 있습니다. 그러므로 글의 앞부분에서 '내'가 공원 화장실 앞에 자전거를 두고 화장실에 다녀온 사이에 자전거가 없어진 일이 일어났다는 것을 알 수 있습니다.

19 ③에서는 '우리 선생님 최고!'와 같이 느낌을 나타낼 때 쓰는 느낌표를 사용하는 것이 알맞습니다.

20 재원이는 연아에게 마음을 전하고 싶은데 쑥스러워서 편지를 쓰게 되었습니다. 재원이는 넘어져서 큰공굴리기에서 진 것 같아서 연

12 ② **틀리다**: 계산이나 사실 등이 맞지 않다. / **다르다**: 어떤 점이 서로 같지 않다.
③ **적다**: 수나 양이 부족하다. / **작다**: 크기가 보통보다 덜하다.
④ **가리키다**: 손가락 같은 것으로 방향을 알리다. / **가르치다**: 모르는 것을 알려 주다.
⑤ **잃어버리다**: 물건을 어디에 흘리고 오다. / **잊어버리다**: 기억이나 생각한 것이 머릿속에서 지워지다.

16 문장은 '누가(무엇이)+무엇을+어찌하다(어떠하다)'의 짜임을 갖습니다.

20 마음을 표현할 때에는 있었던 일을 생각해 보고 그 일에 대하여 어떤 마음이 들었는지 알맞은 말을 사용하여 표현하는 것이 좋습니다.

아에게 미안했고 연아가 위로해 주어서 고마운 마음이 들었을 것입니다.

21 ① 김: 액체가 열을 받아서 기체로 변한 것.
② 개울: 골짜기나 들에 흐르는 작은 물줄기.
③ 비지땀: 몹시 힘든 일을 할 때 쏟아져 내리는 땀.
④ 부들부들하다: 살갗에 닿는 느낌이 매우 부드럽다.

22 시의 1연과 2연에서 소나기가 내리는 소리를 콩 쏟는 소리나 실로폰 소리에 빗대어 표현하였다는 것을 알 수 있습니다.

> 22 시의 제목을 보면 소나기에 대하여 쓴 시라는 것을 짐작할 수 있습니다.

23 설명하는 문장이나 시키는 문장 모두 문장 부호는 마침표를 쓰기 때문에 문장 부호만으로 문장의 뜻을 알기 어려울 때가 있습니다. 그러므로 글의 내용을 살펴보고 어떤 뜻이나 의도를 담고 있는 문장인지 파악해야 합니다.

24 글 ㈏를 보면 '나'의 집 형편이 어려워져서 아파트에 살다가 지하방으로 이사 왔음을 알 수 있습니다. 그리고 글 ㈐에 '나'의 엄마가 돌아가셔서 아빠와 둘이 살고 있다는 것을 짐작할 수 있는 내용이 나옵니다. 글 ㈔의 "아빠 어깨가 가끔씩 움찔거렸어요."에서 아빠는 '나'가 만든 음식과 쪽지를 보고 감동하여 눈물을 흘리고 있음을 짐작할 수 있습니다.

25 구두쇠 영감이 최 서방에게 국밥 냄새 맡은 값을 달라고 하자 최 서방은 돈주머니를 흔들어 소리를 들려주었습니다. 그리고 돈주머니에서 난 소리를 들었으니 돈을 받은 것과 마찬가지라고 하였습니다.

> 25 일이 일어난 차례를 살펴볼 때에는 일의 원인과 결과를 알아보는 방법이 있습니다.

26 이야기에서 일이 일어나는 장소는 '고개 → 다음 고개 → 호랑이 배 속 → 마을 → 궁궐'의 차례로 바뀝니다. ③에서는 일이 일어난 시간인 '이튿날 아침'만 나타나 있습니다.

27 1연에는 달리기를 하기 전의 두근대는 마음, 2연에는 달리기 출발 신호가 표현되어 있습니다. 3연에서 달리기를 하는 모습이 나타나 있으므로 4연에는 달리기를 할 때 숨이 차서 숨을 자꾸 몰아쉬는 소리나 모양을 흉내 내는 말인 '헉헉헉'이 들어가는 것이 알맞습니다.

> 27 시가 상황을 자세히 설명하지 않고 흉내 내는 말로 간결하게 표현되어 있으므로 흉내 내는 말이 주는 느낌이나 뜻을 바탕으로 장면을 떠올리며 읽는 것이 좋습니다.

28 ③은 '어떤 일'을 정리한 것이 아니라 '생각이나 느낌'을 쓴 것이므로 알맞지 않습니다.

29 ㉣에는 '잘하는 것'이라는 항목이 들어가는 것이 알맞습니다.

30 ②에는 '어떤 일이나 과정, 절차 따위가 끝나다.'라는 뜻의 '마치고'를 쓰는 것이 알맞습니다. '맞히다'는 '문제에 대한 답을 틀리지 않게 하다.'라는 뜻입니다.

> 30 소리가 비슷하게 나지만 맞춤법이 다른 낱말은 글자의 모양과 뜻을 정확하게 알아두는 것이 좋습니다.

실전 모의고사 **2**회

문항 번호	정답	대영역	중영역	평가 내용	난이도	배점
01	③	듣기·말하기	사실	대화의 내용 파악하기	보통	3점
02	④	듣기·말하기	비판·감상	상대의 말을 듣는 바른 자세 알기	쉬움	3점
03	⑤	듣기·말하기	생성·조직	듣는 사람의 기분을 생각하며 말하는 방법 알기	보통	4점
04	④	읽기	내용 확인	글을 읽고 글의 내용 파악하기	보통	3점
05	⑤	읽기	내용 확인	글을 읽고 글의 내용 파악하기	보통	3점
06	③	읽기	추론	글의 내용에 어울리는 제목 짐작하기	보통	4점
07	②	읽기	추론	글을 읽고 글쓴이의 생각이나 느낌 짐작하기	보통	3점
08	③	읽기	내용 확인	글의 내용을 시간의 순서에 따라 간추리기	보통	3점
09	②	읽기	내용 확인	글을 읽고 글의 내용 파악하기	쉬움	3점
10	④	어휘	관계	낱말의 관계 파악하기	어려움	4점
11	⑤	읽기	내용 확인	글을 읽고 글의 내용 파악하기	보통	3점
12	②	읽기	추론	글의 내용에 알맞게 일의 결과 짐작하기	보통	3점
13	④	읽기	내용 확인	글을 읽고 중요한 내용을 간추리기	보통	3점
14	②	문학	수용과 생산	시의 일부분을 바꾸어 쓰기	보통	3점
15	②	문학	수용과 생산	시를 읽고 비슷한 경험 떠올리기	보통	3점
16	②	문학	수용과 생산	이야기를 실감 나게 읽는 방법 알기	보통	4점
17	②	문학	지식	이야기의 내용 파악하기	쉬움	3점
18	④	문학	수용과 생산	이야기를 읽고 인물의 의견 파악하기	보통	4점
19	⑤	문학	지식	이야기의 내용 파악하기	보통	3점
20	③	문학	수용과 생산	이야기를 읽고 주제 파악하기	보통	3점
21	⑤	어휘	관계	말놀이의 종류 알기	보통	3점
22	③	어휘	확장	규칙에 맞게 말놀이하기	보통	4점
23	①	어휘	의미·확장	문장의 뜻에 알맞은 낱말 알기	어려움	4점
24	④	어휘	개념	흉내 내는 말 알기	쉬움	3점
25	②	문법	발음·표기· 규범	겹받침이 있는 낱말 알기	보통	3점
26	④	문법	문장·담화	글을 바르게 띄어 읽기	보통	4점

27	⑤	문법	발음·표기·규범	문장 부호의 쓰임 알기	보통	3점
28	①	쓰기	표현·고쳐쓰기	일기를 쓸 때 들어가야 할 내용 알기	보통	4점
29	①	쓰기	표현·고쳐쓰기	읽는 사람을 생각하며 쪽지글 쓰기	보통	3점
30	②	쓰기	내용 조직	설명하는 글을 쓸 때 알맞은 내용 알기	어려움	4점

풀이

01 수목원에 쓰레기를 버리면 안 되기 때문에 과자는 봉지째 가지고 오지 말고 통에 담아 오라고 하였습니다.

02 선생님 말씀을 들을 때에는 장난을 치거나 딴짓을 하지 말고 바른 자세로 앉아 들어야 합니다.

03 친구가 실수로 내 팔을 쳐서 그림을 망쳤을 때는 화를 내는 것보다 고운 말로 조심해 달라고 말하는 것이 알맞습니다.

04 실을 잡는 아이는 오래 살 것이라고 생각했고, 책을 잡는 아이는 공부를 잘하게 될 것이라고 여겼습니다. 또 쌀을 잡는 아이는 부자가 될 것이라고 했습니다.

05 돌잔치에 담긴 뜻은 제시된 글의 마지막에 나타나 있습니다. 우리 조상들은 돌잔치를 하면서 아기가 건강하고 행복하게 자라기를 바랐습니다.

06 제목은 글의 내용을 잘 알 수 있는 것으로, 너무 긴 것보다는 간단하게 짓는 것이 좋습니다.

07 친구들과 공 굴리기 놀이를 하면서 결승점에 왔을 때 같은 편 친구들이 기뻐하는 소리를 들었다고 하였으므로 즐겁고 재미있었을 것임을 짐작할 수 있습니다.

08 글쓴이는 가족과 함께 놀이공원에 가서 줄을 서서 회전목마를 탔습니다. 그러고 나서 솜사탕을 먹었습니다.

09 웃어른께 세배를 하는 것은 설날에 대한 설명으로 추석과는 관련이 없습니다.

10 보기 를 보면 서로 뜻이 반대인 낱말임을 알 수 있습니다. '모이다'와 뜻이 반대인 낱말은 '흩어지다'입니다.

11 평평하고 잘 세워지는 손바닥만 한 돌멩이를 준비하라고 하였습니다.

평가 개념과 도움말

02 바르게 듣는 자세
① 바른 자세로 앉습니다.
② 말하는 사람을 바라봅니다.
③ 턱을 괴거나 장난을 치지 않습니다.

06 내용에 알맞게 제목 붙이기
① 제목은 글의 내용을 대표하기 위하여 붙이는 이름입니다.
② 제목은 글의 내용을 잘 드러낼 수 있어야 합니다.
③ 제목은 너무 길지 않은 것이 좋습니다.

12 비사치기는 세워 놓은 상대의 돌멩이를 다 넘어뜨리면 이기는 놀이입니다.

13 집에 오자마자 손과 발을 씻은 후 바나나를 먹고, 껍질을 음식물 쓰레기통에 버리라고 하였습니다. 그리고 마지막으로 연필을 깎아야 합니다.

14 '벌렁벌렁'은 몸의 일부가 가볍고 재빠르게 잇따라 움직이는 모양을 나타내는 표현으로 달리기를 하려고 준비하고 있을 때의 긴장된 마음을 나타낸 표현입니다. 이 긴장된 마음을 흉내 내는 말로는 '쿵쾅쿵쾅'이 어울립니다.
① 살금살금: 남이 알아차리지 못하도록 눈치를 살펴 가면서 살며시 행동하는 모양.
③ 소곤소곤: 남이 알아듣지 못하도록 작은 목소리로 자꾸 가만가만 이야기하는 소리. 또는 그 모양.
④ 데굴데굴: 큰 물건이 계속 구르는 모양.
⑤ 하하 호호: 즐겁게 웃는 소리. 또는 그 모양.

15 달리기할 때의 마음을 나타낸 시이므로 친구들과 줄넘기 시합을 하던 경험을 떠올린 것이 가장 알맞습니다.

16 노루가 사냥꾼에게 쫓기며 나무꾼에게 부탁하는 상황이므로 급한 마음이 느껴지는 목소리로 읽어야 실감 납니다.

17 노루는 사냥꾼이 자기를 쫓아온다고 하며 자기를 숨겨 달라고 부탁했습니다.

18 최 서방은 "엽전 소리를 들었으니 돈을 받은 것이나 마찬가지예요."라고 말하였습니다.

19 소년은 늑대가 나타났다고 거짓말을 했고 그 말을 듣고 달려온 마을 사람들을 보면서 웃었습니다.

20 거짓말을 반복한 양치기 소년에게 마을 사람들은 화를 냈고, 나중에는 양치기 소년의 말을 믿지 않게 되었다는 내용을 통해 거짓말을 하지 말자는 말을 전하려고 합니다.

21 앞 낱말의 끝 글자로 시작하는 낱말을 이어 말하는 끝말잇기 놀이입니다.

22 앞 낱말의 끝 글자로 시작하는 규칙에 따라 빈칸에는 '강'으로 시작하고 '지'로 끝나는 낱말이 들어가야 합니다.

건강 → 강아지 → 지우개

16 느낌을 살려 이야기 읽기
① 인물의 마음을 생각하며 이야기를 읽습니다.
② 인물의 마음에 어울리는 표정과 목소리로 읽습니다.

20 이야기의 주제를 파악하는 방법
① 이야기의 줄거리를 정리해 봅니다.
② 인물의 말과 행동을 살펴봅니다.
③ 줄거리, 인물의 말과 행동에 대한 내 생각이나 느낌을 바탕으로 하여 주제를 파악합니다.

23 문장에 어울리는 낱말을 알아 둡니다. '잘다'는 알곡이나 과일, 모래 따위의 둥근 물건이나 글씨 따위의 크기가 작다는 뜻입니다.

낱말	뜻	예
작다	길이나 넓이가 비교 대상이나 보통보다 덜하다.	작년에 입었던 옷이 작다.
적다	양이나 정도가 비교 대상이나 보통보다 덜하다.	이 컵에 있는 물이 저 컵에 있는 물보다 적다.

24 '폴짝폴짝'은 작은 것이 자꾸 세차고 가볍게 뛰어오르는 모양을 흉내 내는 말로, 강아지가 짖는 소리를 흉내 내는 말로 알맞지 않습니다. 강아지가 짖는 소리를 흉내 내는 말로는 '멍멍', '왈왈' 등이 알맞습니다.

25 ㉡은 '앉아서'로 고쳐 써야 합니다. 'ㄳ, ㄵ, ㄺ, ㅀ……'과 같이 서로 다른 두 개의 자음자가 쓰이는 받침을 '겹받침'이라고 합니다.

26 문장이 끝나는 곳에서 잠시 쉬었다가 읽어야 합니다.

27 인물이 마음속으로 한 말을 적을 때에는 ' '(작은따옴표)를 씁니다.

문장 부호의 쓰임

문장 부호	이름	쓰임
.	마침표	설명하는 문장 끝에 씁니다.
?	물음표	묻는 문장 끝에 씁니다.
!	느낌표	느낌을 나타내는 문장 끝에 씁니다.
" "	큰따옴표	인물이 소리 내어 한 말을 적을 때 씁니다.
' '	작은따옴표	인물이 마음속으로 한 말을 적을 때 씁니다.
,	쉼표	부르는 말이나 대답하는 말 뒤에 씁니다.

28 일기를 쓸 때에는 날짜와 날씨, 겪은 일과 생각이나 느낌이 잘 드러나게 써야 합니다.

29 상을 받은 친구에게 쪽지 글을 쓸 때에는 축하하는 마음을 전하는 표현을 읽는 사람의 마음을 생각하며 써야 합니다.

30 지우개의 쓰임에 대한 내용이 들어가야 하기 때문에 연필로 쓴 것을 지울 때 사용한다는 내용이 알맞습니다.

24 흉내 내는 말
① '멍멍', '주렁주렁'과 같이 소리나 모양을 표현한 말을 흉내 내는 말이라고 합니다.
② 흉내 내는 말을 사용하면 소리나 모양을 더욱 실감 나게 나타낼 수 있습니다.

26 문장과 문장 사이에 ∨를 하고 잠시 쉬었다가 읽어야 합니다.

28 일기 쓰는 방법
• 날짜와 요일, 날씨를 씁니다.
• 일어난 일을 사실대로 씁니다.
• 있었던 일에 대한 생각이나 느낌을 씁니다.

실전 모의고사 **3**회

문항 번호	정답	대영역	중영역	평가 내용	난이도	배점
01	②	듣기 · 말하기	생성 · 조직	대화 상황에 어울리는 질문 하기	어려움	4점
02	⑤	어휘	관계	의미가 비슷한 낱말 알기	어려움	4점
03	①	듣기 · 말하기	사실	대화의 내용 파악하기	쉬움	3점
04	⑤	듣기 · 말하기	사실	대화 상황에서 말하는 이의 태도 알기	보통	3점
05	④	문법	발음 · 표기 · 규범	문장 부호의 역할을 알고 알맞은 문장 부호 쓰기	쉬움	3점
06	③	읽기	내용 확인	글을 읽고 일의 차례 정리하기	보통	3점
07	①	문법	발음 · 표기 · 규범	맞춤법에 맞는 받침 알기	어려움	4점
08	③	읽기	추론	편지를 쓴 목적 짐작하기	보통	3점
09	④	읽기	내용 확인	글을 읽고 장면 떠올리기	쉬움	3점
10	③	읽기	추론	글의 제목 추론하기	보통	4점
11	⑤	읽기	내용 확인	글에서 알려 주는 내용 파악하기	보통	3점
12	⑤	문법	발음 · 표기 · 규범	맞춤법이 바른 낱말 알기	어려움	3점
13	⑤	읽기	내용 확인	글을 읽고 중심 문장 파악하기	어려움	4점
14	②	읽기	추론	글을 읽고 의견 떠올리기	보통	3점
15	①	읽기	내용 확인	글의 중심 글감 파악하기	보통	3점
16	③	읽기	내용 확인	안내문을 읽고 글의 내용 이해하기	보통	3점
17	④	어휘	개념	흉내 내는 말의 종류 구분하기	어려움	4점
18	④	문학	수용과 생산	역할극을 할 때 어울리는 목소리 알기	어려움	3점
19	④	문학	수용과 생산	이야기에 이어질 내용 짐작하기	보통	3점
20	②	어휘	관계	포함 관계의 낱말 알기	보통	3점
21	①	문학	수용과 생산	시를 바꾸어 쓰기	어려움	4점
22	①	문학	수용과 생산	이야기 속 등장인물의 행동 비판하기	보통	3점
23	④	어휘	개념	문장에 어울리는 흉내 내는 말 떠올리기	쉬움	3점
24	④	문학	수용과 생산	이야기를 읽고 내용 정리하기	어려움	4점
25	⑤	쓰기	표현 · 고쳐쓰기	그림을 보고 문장 쓰기	보통	3점
26	⑤	문법	발음 · 표기 · 규범	바른 띄어쓰기 알기	보통	3점

27	④	쓰기	표현 · 고쳐쓰기	잘못 쓴 낱말을 바르게 고쳐 쓰기	어려움	4점
28	③	쓰기	내용 생성	떠올린 내용을 바탕으로 글 쓰기	보통	4점
29	③	쓰기	표현 · 고쳐쓰기	문장을 구성하는 순서 알기	쉬움	3점
30	②	문법	문장 · 담화	알맞은 높임 표현 사용하기	보통	3점

풀이

01 앞에서 가을 운동회 때 어떤 경기를 했는지 말하고, 그중에서 줄다리기가 가장 신이 났다는 답변을 했으므로 어떤 경기가 가장 재미있었는지 묻는 질문이 들어가야 알맞습니다.

┤ 왜 틀렸을까? ├

①, ③: 현호의 대답에서 알 수 있는 내용이지만 현호가 말한 내용을 모두 포함하는 질문이 아닙니다.

02 '한가로이'는 '바쁘지 않고 여유가 있는 듯하게.'라는 뜻으로 짐작할 수 있습니다. '분주하게'는 '한가로이'와 반대되는 말입니다.

03 은효는 대화의 처음 부분에서 교실에서는 뛰면 안 된다고 말하였습니다. 쉬는 시간에 독서를 하자고 한 것은 민재입니다.

04 민재는 처음에는 교실에서 뛰어다녀도 된다고 생각하였습니다. 그러나 은효가 교실에서 뛰면 안 되는 여러 가지 까닭을 설명하여 주자 자신의 생각을 바꾸었습니다.

05 묻는 문장 끝에 쓰는 문장 부호는 '물음표(?)'입니다.

06 호랑나비 암컷이 알을 낳으면 알에서 애벌레가 나옵니다. 애벌레가 허물을 네 번 정도 벗고 번데기가 되었다가 20일 정도 지나면 호랑나비가 됩니다.

07 ㉠에는 두 팔을 벌려 가슴 쪽으로 끌어당기거나 품 안에 있게 한다는 뜻의 '안다'를, ㉡에는 윗몸을 바로 한 상태에서 엉덩이에 몸무게를 실어 다른 물건이나 바닥에 몸을 올려놓는다는 뜻의 '앉다'를 씁니다. ㉢에는 앞의 말이 뜻하는 행동을 부정할 때 쓰는 말인 '않다'를 써야 합니다.

08 준성이는 전학을 와서 낯설어하는 자신을 도와준 성태에게 고마운 마음을 전하는 편지를 썼습니다.

09 '야구'를 하는 방법을 설명한 글입니다. ①은 농구, ②는 배드민턴, ③은 볼링, ⑤는 배구를 하는 장면입니다.

평가 개념과 도움말

02 낱말의 뜻
① 혼자: 다른 사람과 어울리거나 함께 있지 아니하고 동떨어져서.
② 조용히: 아무런 소리도 들리지 아니하고 고요히.
③ 한가득: 꽉 차도록 가득.
④ 분주하게: 이리저리 바쁘고 수선스럽게.

05 문장 부호의 역할

마침표 (.)	설명하는 문장 끝에 씁니다.
물음표 (?)	묻는 문장 끝에 씁니다.
느낌표 (!)	느낌을 나타내는 문장 끝에 씁니다.
쉼표 (,)	부르는 말이나 대답하는 말 뒤에 씁니다.

10 횡단보도에서 안전하게 길을 건너는 방법을 설명하였으므로 '안전하게 건너요'가 제목으로 알맞습니다.

11 귀신이나 도깨비가 붉은색을 싫어하고 이사를 하거나 큰일을 시작할 때 팥을 넣은 떡을 하였다고 했으므로 팥으로 귀신이나 도깨비를 쫓을 수 있다고 생각했을 것입니다.

12 ①의 '뭍었습니다'와 ④의 '금새'는 잘못된 표현으로, '묻었습니다', '금세'로 써야 바른 표현입니다. ②와 ③은 헷갈리기 쉬운 낱말이므로 낱말의 뜻을 생각하며 써야 합니다. ②의 '마치지'는 '문제에 대한 답을 틀리지 않게 하다.'라는 뜻이 되려면 '맞히지'로 써야 하고, ③의 '틀립니다'는 '비교가 되는 두 대상이 서로 같지 아니하다.'라는 뜻인 '다릅니다'로 바꾸어야 합니다.

13 이 글의 중심 글감은 '잠을 가리키는 말'입니다. 동물의 모양과 식물이나 사물의 특징과 관련된 잠의 여러 가지 이름을 설명하고 있으므로 이 내용을 모두 포함하는 ⑤가 중심 문장으로 알맞습니다.

14 실험용 동물을 우주에 보내기로 하고 라이카를 선택했으므로 라이카는 실험용 동물이었을 것입니다.

15 설날에 하는 놀이인 윷놀이와 연날리기를 설명한 글입니다.

16 준비물에 간식이 있으므로 과자나 음료수를 가져가도 됩니다.

17 흉내 내는 말에는 소리를 흉내 내는 말과 모양을 흉내 내는 말이 있습니다. '팔랑팔랑'과 '엉금엉금'은 모양을 흉내 내는 말입니다. '달그락', '우당탕', '개굴개굴', '아삭아삭'은 소리를 흉내 내는 말입니다.

18 역할극을 할 때에는 장면에 어울리는 목소리로 읽어야 합니다. 바람은 세상에서 자신이 가장 힘이 세다고 생각하며 말하고 있으므로 잘난 체하는 목소리로 읽는 것이 알맞습니다.

19 해가 세게 비추자 날씨가 더워졌을 것이고 나그네는 땀을 흘리며 외투를 벗을 것입니다.

20 |보기|의 낱말들은 포함하는 말과 포함되는 낱말의 관계입니다. 채소에 포함되는 낱말은 '오이'입니다. '뱀'을 포함하는 말은 '동물', '오렌지'를 포함하는 말은 '과일', '진달래'를 포함하는 말은 '꽃', '단풍나무'를 포함하는 말은 '나무'입니다. '오이', '오렌지', '진달래', '단풍나무'를 모두 포함하는 말에는 '식물'이 있습니다.

10 글의 제목은 글 전체 내용을 잘 드러낼 수 있게 짓습니다.

12 헷갈리는 낱말
②: 수업을 마치다.
　　수수께끼의 답을 맞히다.
③: 답이 틀리다.
　　나는 너와 다르다.

17 흉내 내는 말의 종류

모양	뭉게뭉게, 길쭉길쭉 살랑살랑, 아장아장
소리	꼬끼오, 음매음매 부르릉, 삐악삐악

21 흉내 내는 말과 이어지는 표현이 어울리는지를 묻는 문제입니다. 무엇을 흉내 내는 말인지를 먼저 확인하고 다음 행을 살펴봅니다. '주룩'은 굵은 물줄기나 빗물 따위가 빠르게 잠깐 흐르다가 그치는 소리나 모양을 나타내는 말이므로 저녁놀과 어울리지 않는 표현입니다.

22 여우는 곰에게 꿀을 따서 나누어 먹자고 하고는 꿀을 혼자서 먹으려고 도망치다가 벌들에게 쏘였습니다. 여우는 지나치게 욕심을 부리다가 다치게 된 것이므로 이런 행동을 하지 말라는 말을 해야 합니다.

23 ㉠에는 벌에 쏘였을 때의 느낌을 나타내는 말이, ㉡에는 우는 모습을 표현하는 말이 들어가야 합니다.

24 호랑이는 토끼를 잡아먹으려고 했지만 토끼에게 속아 뜨거운 돌멩이만 삼켰습니다. 일어난 일은 '토끼가 호랑이를 골탕 먹였다.'와 같이 정리하는 것이 좋습니다.

25 '어디에서 하였지?'라는 질문이 있으므로 장소가 드러나게 문장을 써야 합니다. '운동회 때 학교 운동장에서 친구들과 투호 놀이를 하였다.'와 같은 내용이 들어가야 합니다.

26 낱말과 낱말 사이는 띄어 쓰고 문장 부호는 낱말의 뒤에 붙여 씁니다.

┤ 왜 틀렸을까? ├
①: 강아지와 고양이
②: 궁금한 점을 물어봐요.
③: 우리 가족은 공원에 갔다.
④: 열매가 주렁주렁 달렸다.

27 겹받침이 들어간 낱말을 쓸 때 받침을 하나만 쓰지 않도록 주의합니다. ㉣은 '괜찮아'라고 고쳐 써야 합니다.

28 촉감이 부드럽다고 했으므로 강아지 털이 거칠거칠하다는 표현은 어울리지 않습니다.

29 |보기|의 낱말로 문장을 만들면 '내가 세호의 장난감을 망가뜨려서 미안해요.'가 됩니다. 그러므로 마지막에 오는 낱말은 '미안해요'입니다.

30 웃어른께 대답할 때는 높임 표현을 써야 합니다. 할머니께는 '잘 자요.'가 아닌 '안녕히 주무세요.'라고 해야 하며, 병원에 가시는 어머니께는 '안녕히 다녀오세요.'라고 해야 합니다. ④의 상황에서는 '잘 먹었어.'가 아닌 '잘 먹었습니다.(잘 먹었어요.)', ⑤의 상황에서는 '고마워.'가 아닌 '고맙습니다.'라고 표현해야 합니다.

---

21 흉내 내는 말의 뜻

살랑	조금 사늘한 바람이 가볍게 부는 모양.
깜빡	불빛이나 별빛이 잠깐 어두워졌다 밝아지는 모양.
솨	나뭇가지나 물건의 틈 사이로 바람이 스쳐 부는 소리.
반짝	작은 빛이 잠깐 나타났다가 사라지는 모양.

27 글자를 정확하게 쓰지 않으면 생각을 정확하게 나타낼 수 없습니다. 받침이 있는 글자를 쓸 때에는 자음자와 모음자의 자리를 잘 지켜서 씁니다.

30 말끝에 '-요'를 붙이기만 하면 높임 표현이 된다고 생각하지 않도록 주의합니다.

실전 모의고사 **4**회

문항 번호	정답	대영역	중영역	평가 내용	난이도	배점
01	③	듣기 · 말하기	생성 · 조직	상황에 알맞은 인사말 사용하기	보통	3점
02	②	듣기 · 말하기	추론	대화를 보고 어떤 상황인지 짐작하기	보통	3점
03	④	듣기 · 말하기	사실	안내하는 말의 내용 파악하기	보통	3점
04	④	문법	발음 · 표기 · 규범	낱말의 정확한 표기 알기	쉬움	3점
05	③	읽기	내용 확인	글의 내용 파악하기	쉬움	3점
06	④	읽기	추론	글의 내용을 파악하여 적용하기	어려움	4점
07	⑤	읽기	내용 확인	복합적인 글을 종합적으로 파악하기	보통	3점
08	④	읽기	추론	글의 내용을 파악하여 적용하기	보통	4점
09	④	읽기	내용 확인	이야기 속 인물의 마음 짐작하기	보통	3점
10	④	읽기	추론	이야기 속 인물의 행동 짐작하기	어려움	4점
11	③	어휘	관계	낱말 사이의 관계 파악하기	보통	4점
12	③	어휘	의미	낱말의 정확한 뜻과 표기 알기	보통	3점
13	③	읽기	추론	이야기 속 인물의 마음 짐작하기	보통	3점
14	⑤	문법	발음 · 표기 · 규범	낱말의 정확한 발음 알기	보통	3점
15	④	읽기	내용 확인	일이 일어난 순서 파악하기	보통	3점
16	②	읽기	추론	인물의 마음 짐작하기	보통	4점
17	④	문학	지식	시에 나타난 표현 파악하기	어려움	4점
18	④	문학	수용과 생산	장면을 떠올리며 시 읽기	보통	4점
19	③	문학	지식	이야기 속 인물의 마음 변화 파악하기	보통	3점
20	②	어휘	의미	낱말의 뜻을 알고 문장 완성하기	보통	3점
21	②	문법	문장 · 담화	알맞은 띄어쓰기 알기	보통	3점
22	⑤	문학	수용과 생산	이야기의 내용 파악하기	쉬움	3점
23	④	문학	수용과 생산	이야기 속 인물의 마음 짐작하기	어려움	4점
24	③	쓰기	내용 생성	그림을 보고 문장 만들기	보통	3점
25	③	문법	발음 · 표기 · 규범	낱말의 정확한 표기 알기	보통	3점
26	③	쓰기	표현 · 고쳐쓰기	생각이 분명하게 드러나게 문장 고치기	어려움	4점
27	②	문법	발음 · 표기 · 규범	알맞은 높임 표현 알기	보통	3점
28	⑤	어휘	확장	모양은 같지만 다른 뜻을 가진 낱말 알기	보통	3점
29	⑤	문법	문장 · 담화	듣는 사람의 기분을 생각하여 말하기	보통	4점
30	②	쓰기	표현 · 고쳐쓰기	그림일기 고쳐 쓰기	보통	3점

01 상장을 받은 민수에게 '축하해.'로 인사할 수 있고, 치료를 해 주신 보건 선생님께 '치료해 주셔서 고맙습니다.'라고 말하며 인사드릴 수 있습니다.

02 세 번째 그림에서 아저씨가 한 말을 보면 예범이와 알고 지내는 사이인 것을 짐작할 수 있습니다.

03 선생님은 수목원에서 쓰레기를 버리면 안 된다고 안내하였습니다.

> **왜 틀렸을까?**
> 선생님이 현장 체험 학습에 대하여 안내한 내용
> • 장소: 수목원
> • 준비물: 돗자리, 물
> • 주의할 점: 쓰레기 버리지 않기, 과자는 통에 따로 담아 오기

04 '햇빛'의 두 번째 글자에는 시옷 받침이 아니라 치읓 받침을 넣어야 합니다.

05 돌잡이상 위에는 쌀, 떡, 책, 붓, 돈, 활, 실 등을 올려놓는다고 하였습니다.

06 실을 잡는 아이는 오래 살 것이라고 생각했고, 책을 잡는 아이는 공부를 잘할 것이라고 생각했으므로 아이가 '붓'을 잡는다면 그 물건과 관련된 직업을 가질 것이라고 짐작할 수 있습니다.

07 상구 어머니의 문자를 통해 상구는 집에 오자마자 손과 발을 깨끗이 씻어야 한다는 점을 알 수 있습니다.

08 상구 어머니가 어떤 과일을 좋아하는지에 대한 내용은 글에 나타나 있지 않습니다.

09 나무꾼은 산에서 호랑이를 만나 깜짝 놀랐습니다.

> **왜 틀렸을까?**
> 나무꾼이 꾀를 내어 호랑이에게 형님이라고 한 것이므로, 오랜만에 형님을 만났으니 반갑거나, 슬픈 마음이 들 것이라고 잘못 생각하면 답을 틀릴 수 있습니다.

10 나무꾼은 꾀를 내어 호랑이에게 어머님이 호랑이 형님을 그리워한다고 하였습니다. 이 말을 들은 호랑이는 어머님께 큰 잘못을 했다고 말하였으므로, 어머니에게 효도를 하려고 할 것이라고 짐작할 수 있습니다.

11 김치의 종류를 나타낸 그림입니다.

02 상황에 알맞은 인사말
• 아침에 일어났을 때
→ 안녕히 주무셨어요?
• 학교에 갈 때
→ 다녀오겠습니다.
• 급식을 받을 때
→ 잘 먹겠습니다.
• 집으로 돌아왔을 때
→ 다녀왔습니다.
• 자기 전에
→ 안녕히 주무세요.

06 글을 읽고 새롭게 알게 된 점 말하기
• 글을 읽고 이전에 몰랐던 내용을 찾아봅니다.
• 글을 읽으면 재미를 느낄 수 있고 몰랐던 것을 배울 수도 있습니다.

12 무를 작고 네모나게 썰어서 양념으로 버무려 만든 김치를 '깍두기'라고 합니다.

13 지나치게 욕심을 부려 국밥 냄새 맡은 값을 받으려던 구두쇠 영감은 자신의 꾀에 넘어가 돈의 소리만 듣고 말았으므로 창피해서 얼굴이 빨개진 것입니다.

14 '값이라니요'는 [갑씨라니요]로 소리 내어 읽습니다.

15 글쓴이의 가족은 가장 먼저 놀이공원으로 출발하여, 회전목마를 타려고 줄을 섰습니다. 그다음 글쓴이는 회전목마를 타고 나서 어머니께서 사 주신 솜사탕을 먹었다고 하였습니다.

16 '내 마음을 아셨는지' 부분과 어머니께서 솜사탕을 사 주셨다는 내용을 통해 '나'는 솜사탕을 먹고 싶어했다는 것을 알 수 있습니다. 그래서 빈칸에 들어갈 마음은 '부러웠다'가 알맞습니다.

> ⊣ **왜 틀렸을까?** ├
> '내'가 솜사탕을 먹고 싶기 때문에 솜사탕을 먹고 있는 친구들을 보기 싫어했을 것이라고 잘못 생각하면 틀릴 수 있습니다.

17 1연에서는 '뚜'가, 2연에서는 '똑'이, 3연에서는 '방긋'이 각각 두 번 나오므로 반복되는 표현에 해당합니다. '나팔꽃이 일어나래요.'와 '아침 이슬이 세수하래요.' 부분에 '~가 ~래요.'라는 표현이 쓰였습니다. 이 시에는 '나'가 누구인지 나타나 있지 않습니다.

18 아침이 된 모습, 아침에 햇빛이 비치는 모습 등을 떠올릴 수 있는 시입니다.

> ⊣ **왜 틀렸을까?** ├
> 저녁이 된 모습이나 비와 눈이 내리는 모습, 번개가 치는 모습 등은 시에 나타난 내용과 관련이 없습니다.

19 심심해하던 양치기 소년은 자신의 거짓말에 사람들이 속자 재미있어하였습니다. 나중에 진짜 늑대가 나타났는데도 사람들이 자신의 말을 믿지 않을 때에는 자신의 행동을 후회하였습니다.

20 그림에 어울리는 문장을 완성하는 문제입니다. 갈매기가 하늘에 떠 있으므로, '납니다' 또는 '날아갑니다' 등을 넣을 수 있습니다.

21 '떡볶이를∨사러∨갑니다.'와 같이 띄어 써야 합니다.

> ⊣ **왜 틀렸을까?** ├
> '고추잠자리'는 모두 붙여 써야 하는 낱말이므로, '고추∨잠자리'와 같이 띄어 쓴다고 생각하면 틀릴 수 있습니다.

---

12 낱말 사이의 관계
- 구체적인 다른 김치들을 모두 포함하는 낱말 → 김치
- 김치 중에서도 특정한 종류를 나타내는 낱말
  → 배추김치, 백김치, 총각김치 등

13 마음을 나타내는 말
- 부끄럽다: 일을 잘 못해서나 양심에 거리끼어 매우 떳떳하지 못하다.
- 억울하다: 아무 잘못 없이 꾸중을 듣거나 벌을 받거나 하여 분하고 답답하다.

17 시에 쓰인 표현
- 반복되는 표현: '뚜, 뚜', '똑, 똑'처럼 같은 말이 여러 번 나오면 노래하는 듯한 느낌이 납니다.

20 그림을 보고 문장 만들기
- 장면을 부분으로 나누어 여러 개의 문장으로 나타냅니다.
- 내용을 생생하게 표현할 수 있는 낱말을 더 넣어 씁니다.

21 띄어쓰기
사러∨가다: '사다'를 뜻하는 낱말과 '가다'를 뜻하는 낱말은 각각 띄어 씁니다.

22 물고기들이 재봉사에게 어여쁜 옷을 만들어 달라고 부탁했습니다.

23 아이 때문에 새가 떠나 버려서 나무는 좋은 친구를 잃어 화가 나거나 슬펐을 것입니다. 이러한 나무의 마음을 느낄 수 있는 목소리로 읽는 것이 어울립니다.

24 그림에 세발자전거는 나타나 있지 않고, 남동생은 자전거를 타고 있지도 않습니다.

> ┤ 왜 틀렸을까? ├
> 그림에 나타나 있는 내용만으로 문장을 만들어야 하므로, 그림을 보고 내용을 상상해서 문장을 만들면 틀릴 수 있습니다.

25 '삼촌의 자전거는 파랏습니다.'에서 '파랏습니다' 부분이 틀린 낱말이므로 '파랗습니다'로 고쳐 써야 합니다.

26 선우는 친구를 놀리지 않아야 한다는 생각을 나타내기 위해 글을 썼습니다. '우리 반 친구들은 서로 놀리지 않고 고운 말만 쓰면 좋을까?'는 선우의 생각이 분명하게 드러나지 않으므로, '~ 고운 말을 쓰자.'와 같이 고치는 것이 좋습니다.

27 '밥'의 높임 표현은 '진지'입니다.

28 '밤'은 때를 나타내는 말과 밤나무의 열매를 나타내는 말로도 쓸 수 있습니다. 이와 같이 모양은 같은데 다른 뜻으로 쓸 수 있는 낱말이 아닌 것은 '고양이'입니다.

> ┤ 왜 틀렸을까? ├
> • 배 ┬ 사람 몸의 한 부분으로 가슴과 엉덩이 사이.
>   └ 배나무의 열매.
> • 눈 ┬ 하늘에서 내리는 눈.
>   └ 사람 몸의 한 부분으로 앞을 볼 수 있는 곳.
> • 차 ┬ 사람이나 짐을 실어 옮기는 탈것.
>   └ 끓여서 마시는 것.
> • 다리 ┬ 사람의 몸통 아래에 붙어 있는 것.
>   └ 강을 건널 수 있도록 만드는 것.

29 한 친구가 실수로 다른 친구의 장난감을 망가뜨린 상황입니다. 실수를 한 친구의 기분을 생각하며 자신의 기분을 솔직하게 잘 말한 것은 ⑤입니다.

30 쓴 날짜만 쓰고, 날씨는 어떠하였는지 빠뜨린 그림일기입니다. 또, 하루에 일어난 일을 모두 써서 인상 깊었던 일이 무엇인지 알 수 없고, 그에 대한 생각이나 느낌도 쓰지 않습니다.

---

23 알맞은 목소리로 이야기 읽기
• 일어난 일을 설명할 때와 인물이 실제로 말하듯이 읽을 때를 구별해서 읽습니다.
• 인물에 따라 목소리를 바꾸어 인물의 마음이 드러나는 목소리로 읽습니다.

27 알맞은 높임 표현
• 집 – 댁
• 밥 – 진지
• 말 – 말씀
• 병 – 병환
• 나이 – 연세
• 생일 – 생신

29 듣는 사람을 생각하며 자신의 기분 말하기
• 자신의 솔직한 기분을 생각해 봅니다.
• 내가 하려는 말을 들었을 때 듣는 사람의 기분은 어떠할지 떠올려 봅니다.

立 身 揚 名

설 .... 몸 .... 날릴 .... 이름 ....
입 신 양 명

'호랑이는 죽어서 가죽을 남기고,
사람은 죽어서 이름을 남긴다.'는 속담을 알고 있나요?
착하고 훌륭한 일을 하면 그 사람의 이름이 후세에까지 빛난다는 뜻인데,
'입신양명'도 같은 의미로 사용되는 말이랍니다.
열심히 공부하는 여러분! '입신양명'을 응원합니다.

정답은
이안에
있어.!

논술·한자교재

●YES 논술   1~6학년/총 24권

●천재 NEW 한자능력검정시험 자격증 한번에 따기   8~5급(총 7권) / 4급~3급(총 2권)

영어교재

●READ ME
- Yellow 1~3   2~4학년(총 3권)
- Red 1~3   4~6학년(총 3권)

●Listening Pop   Level 1~3

●Grammar, ZAP!   Level 1~3
- 입문   1, 2단계
- 기본   1~4단계
- 입문   1~4단계

●Grammar Tab   총 2권

●Let's Go to the English World!   Level 1~3
- Conversation   1~5단계, 단계별 3권
- Phonics   총 4권

예비중 대비교재

●천재 신입생 시리즈   수학 / 영어

●천재 반편성 배치고사 기출 & 모의고사

월간교재

●NEW 해법수학   1~6학년

●월간 무등생평가   1~6학년

배움으로 행복한 내일을 꿈꾸는
천재교육 커뮤니티 안내 . . .

 교재 안내부터 구매까지 한 번에!
천재교육 홈페이지

천재교육 홈페이지에서는 자사가 발행하는 참고서,
교과서에 대한 소개는 물론 도서 구매도 할 수 있습니다.
회원에게 지급되는 별을 모아 다양한 상품 응모에도
도전해 보세요.

 구독, 좋아요는 필수! 핵유용 정보 가득한
천재교육 유튜브 <천재TV>

신간에 대한 자세한 정보가 궁금하세요?
참고서를 어떻게 활용해야 할지 고민인가요?
공부 외 다양한 고민을 해결해 줄 채널이 필요한가요?
학생들에게 꼭 필요한 콘텐츠로 가득한 천재TV로 놀러오세요!

 다양한 교육 꿀팁에 깜짝 이벤트는 덤!
천재교육 인스타그램

천재교육의 새롭고 중요한 소식을 가장 먼저 접하고 싶다면?
천재교육 인스타그램 팔로우가 필수!
누구보다 빠르고 재미있게 천재교육의 소식을 전달합니다.
깜짝 이벤트도 수시로 진행되니 놓치지 마세요!